FAIRE L'AVENTURE

DU MÊME AUTEUR :

D'eaux douces, Gallimard, 2004, prix Fetkann.
Humus, Gallimard, 2006, prix RFO.
Les chiens ne font pas des chats, Gallimard, 2008.
Anticorps, Gallimard, 2010.

www.editions-jclattes.fr

Fabienne Kanor

FAIRE L'AVENTURE

Roman

JC Lattès

L'auteur tient à remercier le ministère des Affaires étrangères et l'Institut
français pour la mission Stendhal qui lui ont permis d'écrire ce roman.

Maquette de couverture : Bleu T.

ISBN : 978-2-7096-4363-4

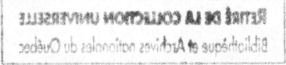

À Malick Arfang Sarr
À Marième Diallo

MBOUR

Rien ne disait la frontière, sauf le gosse. Ce sursaut des lèvres du garçon lorsque, dérivant vers le large, son regard butait contre la ligne bizarrement solide de l'eau. Le corps fléchi, les mains collées à ses jumelles endommagées, il s'entêtait à comprendre comment marchait le monde. Il n'était jamais allé très loin. Il avait fait Dakar un peu, mais il était jeune alors et ne se rappelait que la vitesse, les corps en désordre dans la rue. Il avait vu cavaler des femmes, il avait vu des hommes en découdre avec d'autres hommes. Il avait eu chaud lorsque, filant vers la gare routière, le conducteur du car-rapide avait percuté trois piétons minimum. Dakar, Sally Portugal, Mbour et puis c'est tout.

À dix-sept ans, Biram n'avait encore rien vécu.

Il longea le balcon et, réglant en vain ses

jumelles, se mit à rêver à des choses bêtes. Derrière la ligne, au Nord, à des milliers de kilomètres du Sénégal, il danserait un funk sur une piste. Des filles l'entoureraient, des grandes aux lèvres brillantes et des à robes qui ne dissimuleraient plus grand-chose. Dans le miroir 10 × 3, il aurait la classe avec sa veste croisée en cuir. Ses poches seraient bourrées de billets de banque. On lui donnerait du *vous* et le disc-jockey lui dédicacerait des morceaux. Sans savoir pourquoi ni comment, il se retrouverait ensuite au volant d'un véhicule de marque allemande et, en moins d'une seconde, pénétrerait dans un loft situé au dernier étage d'un gratte-ciel en verre. Il hésiterait entre s'endormir sur un waterbed ou un lit rond rotatif. Mais, se rappelant qu'il aurait dansé et transpiré toute la nuit, il plongerait tête la première dans les remous fluo d'un jacuzzi d'où surgirait, comme par enchantement, une sirène en bikini qui deviendrait la femme de sa vie. Et puis non. Il changerait de slip, de chaussures, commanderait un Bloody Mary et se métamorphoserait en voyou le plus cinglé de la région. Les services secrets le rechercheraient depuis cinq ans. Ses domestiques, sa régulière et ses fils auraient été éliminés. Il n'aurait peur de rien car il mourrait demain.

Le soleil glissa sur la mer, une mouette aux ailes usées rasa l'eau, des pêcheurs et des chèvres occupèrent la plage et le garçon sut qu'il était temps de rentrer. Dissimulant ses jumelles entre deux lattes disjointes du plancher, il redescendit l'escalier et rabattit les grilles déglinguées de *La Signare*. Il ignorait à quoi ce nom se rapportait, ni même comment l'écrire. Il ne savait que ce qu'on lui avait raconté : c'était ici, dans cette demeure qui dominait en hauteur toutes les autres, une esclaverie jadis blanchie à la chaux, avec pendules, chandeliers, nappes et malles de voyage au premier étage, avec chaînes, manilles et paillasses au rez-de-chaussée, c'était ici que des générations de Blancs avaient corrigé des Noirs. Trois siècles avaient passé mais la bâtisse avait tenu quand même, persistante et sauvage comme une vieille fille.

Il fut en bas au moment où la chaleur monta et il la laissa faire parce que c'était bon et naturel. Il traversa la place des Neem. Il était seul. C'était vendredi, la grande prière. À la mosquée, les hommes devisaient gratuitement avec Dieu. Biram ferma les yeux et soumit son visage au soleil jusqu'à ce que la tête lui tournât et que tout fût rouge derrière ses paupières. Au bout d'un moment, il rouvrit les yeux et les choses reprirent leur aspect ordinaire. Le ciel redevint blanc ciel et la place terne, rien qu'un terrain informe avec cinq rangées de margousiers protégés des chèvres par un grillage, un bout de terre sale en dépit du zèle des balayeuses qui, bottes de pluie aux pieds et rames de palmier à la main, s'acharnaient comme des bœufs chaque matin à rendre lisse et propre cette cité côtière située à trois heures de route de Dakar.

Il allait ainsi, le pas monotone, foulant sans y prendre plus garde un sol maculé de déchets. Il avait traversé cette place tant de fois. Il dépassait le dernier arbre lorsque ses pieds heurtèrent un calot bleu. *Une agate*, paria-t-il, sans pourtant s'y connaître en billes et en s'accroupissant pour ramasser l'objet. Elle n'était pas uniformément bleue, mais striée de jaune et d'un vert apaisant qui, assurément, porterait chance. « Parce que, la chance, ce n'est pas toujours un truc spectaculaire, songea le garçon tandis qu'il rangeait triomphalement le jouet dans sa poche. Cela tenait parfois à un détail : une viande bien préparée, ou bien une histoire qui ferait longtemps rire. »

L'apparition fracassante de Diabang vint lui démontrer que la chance, tout comme la paix d'un homme, c'était périssable. Le crâne imposant, le reste du corps encastré dans un fauteuil roulant mal huilé, le professeur à vie de Littératures Comparées et Francophones, spécialiste de Sony Labou Tansi, traversait la place à vitesse petit V, brandissant une liasse de feuilles volantes du bout de ses doigts râpés par une pratique compulsive du griffonnage et de l'annotation de thèses d'État qu'on

14

ne soutiendra jamais. Réajustant son dentier, il pila devant Biram avant de lui offrir une main humide.

– *Salaam Aleikoum*, le gosse. D'où viens-tu ?

Indiquant du menton un point qui pouvait être aussi bien la plage que la mosquée, Biram émit un grognement sourd dont l'homme parut s'accommoder.

– C'est bien, articula Diabang tout en retirant de son paquet une dizaine de feuilles dactylographiées. Ça, c'est pour toi. Et le reste, c'est pour les tiens, la famille. Il faut d'abord lire et puis après, on discute. Tu as tes arguments, j'ai les miens. C'est réglementaire.

Biram s'empara des formulaires et fit mine de réfléchir. Parce qu'il les avait déjà observés, il savait à peu près comment se comportaient les adultes lorsqu'ils lisaient quelque chose de sérieux. D'abord, ils se taisaient. Puis un tas de grimaces comiques leur venaient : froncement des sourcils, hochements de tête, torsion des lèvres, yeux plissés. Tout cela s'enchaînait très vite, même lorsqu'ils ne semblaient pas toujours saisir ce qui était imprimé.

Ainsi procéda-t-il à son tour, au chiqué, jusqu'à ce que le représentant de Labou Tansi s'impatientât.

– Est-ce que tu imagines, le gosse ? s'emballa le professeur en agitant de nouveau sa pile de feuilles, est-ce que tu te figures le nombre de problèmes qu'occasionnera leur passage dans le quartier? Toutes ces motos, tous ces véhicules… Comme si notre ville était un terrain de jeux. Comme si nos gens n'avaient aucune dignité! Autrefois, nos vies ne valaient rien. Maintenant, on va leur faire payer chacun de nos morts!

Ravalant sa salive, l'intellectuel ferma la bouche. Un mot de plus et sa prothèse dentaire s'auto-éjectait pour atterrir dans la poussière. La tête détachée du cou, il fixait intensément le gosse. Ses yeux étaient ronds tout pareils à ceux du canari dans *Titi et Grosminet.*

– Ça, c'est clair, ça va être la galère. Une vraie galère, c'est sûr! attaqua benoîtement Biram. Mais bon, ajouta-t-il en baissant les yeux et en s'empressant de plier en quatre et encore en deux la dizaine de formulaires, vous pouvez dormir sur vos deux oreilles. Vos pubs contre le rallye-là, toute ma rue va signer pour, y a même pas de problème. C'est comme si c'était fait.

Il salua Diabang et quitta la place à grandes enjambées. Il n'était pas dans sa nature de polémiquer. Qu'on se bagarre pour protéger sa terre ou défendre sa famille, ça ça lui parlait, ça il comprenait. Mais une *idée*! Franchement! Sauf le vent, il ne connaissait rien de plus capricieux et de plus éphémère. Et pourtant, tout le monde voulait en avoir, des idées. Chacun se battait pour imposer sa propre vision des choses : *Chez moi c'est mieux! Moi je pense que! À mon avis, je!* Voilà ce qui faisait un être humain, voilà ce qui mettait tous les hommes dans le même sac quels que soient les dollars qu'ils gagnaient, la gamme de la voiture qu'ils roulaient, l'âge, le mental et le physique qu'ils avaient. Tandis que l'harmattan qui s'était levé gonflait sa chemise comme un ballon, il repensait au professeur et au lot de vaines batailles qu'il s'obstinait à livrer seul. Dans un pays où la colère et la sueur du front d'un homme ne pesaient rien, Diabang ne manquait en effet jamais une occasion de protester. Sans aucune garantie, ni même désir de victoire, il s'insurgeait contre toutes formes d'oppression et d'injustice. *Révolté automatique,* c'est ainsi qu'il se définissait et on le voyait descendre-monter régulièrement les rues de Mbour, un stock de slogans en bouche, une nouvelle pile de tracts à la main. Bien qu'il n'eût jamais enseigné et ne possédât pas le moindre diplôme universitaire certifié conforme, il menait depuis deux ans une guerre sans trêve contre «l'ignardisation massive et programmée» des jeunes de Mbour. Un dimanche par mois, il les convoquait place des Neem et les abreuvait d'interminables extraits de textes en français difficile, ce français plus que parfait que son idole Sony et le poète-politique Césaire lui avaient légué. Biram n'avait jamais suivi jusqu'au bout ces séances de lecture publique. À quoi bon se remplir des idées et des mots des autres ?

S'engageant dans la rue Serigne Fall, il aperçut les courtes portes du cimetière municipal et, au-delà, les premières rangées de stèles nues, minus-cules ou bien énormes. C'était dans un cimetière comme celui-ci qu'ils avaient rangé le cadavre de son père aux côtés des autres Diop, ainsi que Ngoné, sa mère, avait été la seule à l'exiger. Car pas même à un trou il aurait eu droit, le père, s'il avait fallu écouter les hommes de la famille : « On n'enterre pas les bandits. » En mai prochain, cela ferait huit ans que le pêcheur croupissait dans sa tombe. Qu'arraché à Ngoné, jugée trop faible pour l'éduquer, Biram vivait à Mbour, chez sa tante Maguette. Il n'avait revu sa mère que trois fois, dans cette maison de repos à peine debout, loin de tout, où les hommes Diop l'avaient fait interner.

Maintenant immobile face aux grilles du cime-tière, Biram se demandait quelle gueule avait le mort aujourd'hui. À quoi ressemblaient sa bouche, son cœur malpropre et ses mains ? Comment son corps accoutumé à déguerpir pouvait-il tenir dans une si petite boîte ? Comment sa chair ? La poussière que nous deviendrions tous au bout du compte l'avait-elle enfin entamé ? Il l'espérait en tout cas. Dans cet au-delà qu'il se figurait impitoyable, il voulait ce père plus bas que terre, foutu pour toujours. Un tel individu ne méritait pas d'être sauvé.

Après le cimetière et le grand virage se dressait Le Champs-Élysées, l'unique cinéma de Mbour à projeter des films en entier. Depuis que n'importe quel clampin était en mesure de se payer comptant des combi LCD-DVD made in China, depuis la mort du cinéma de quartier et de tout ce qui va avec (attouchements, rixes, commentaires à voix haute, odeurs têtues de sueur, de latrines et d'eau de Cologne), les propriétaires des rares salles qui restaient ne s'encombraient plus de scrupules. Ils laissaient aller et venir le public n'importe quand sans se soucier si le film était sur le point de se terminer ou ne démarrerait qu'une heure plus tard. D'ailleurs, ce n'étaient généralement jamais les images annoncées qui envahissaient l'écran. L'impitoyable Harry pouvait être remplacé au pied levé par Bruce Lee, Jason Bourne par Kirikou, Starsky et Hutch par Hulk. Tout était réversible, tout était possible : c'était la magie du cinéma.

Les portes d'entrée du Champs-Élysées étaient verrouillées et Biram gagna l'arrière du bâtiment pour consulter le programme. Il n'y avait pratiquement que des films de filles ce mois-ci, ainsi qu'un malheureux western dont toute l'histoire semblait tenir sur l'affichette mal collée : le type de gauche tuerait la bande d'Indiens à ses trousses et s'enfoncerait dans l'Ouest en compagnie de son cheval et d'une starlette aux cheveux bouclés. Le garçon se rapprocha du mur pour dévisager le héros, moins glamour vu de près, avec ses dents plates de pépère d'Amérique, son fard à joues et ses deux mentons débordant du bandana coquelicot. Mais quelles bottes ! Il n'en avait jamais vu d'aussi terribles. « Avec ça, songea-t-il en se concentrant sur leur talon tout de biais, l'embout avant à tête de buffle et les éperons à mollette dentée, avec ça, je pourrais faire trembler toute la ville. Même en Côte d'Ivoire, on m'entendrait marcher ! » Il recula d'un pas avant de pointer son index et son pouce en direction du garçon de ferme et de s'exclamer : « Les bottes ou la vie ! » La fille aux boucles se figea, un silence mélodramatique s'installa. Après quoi Biram visa le cœur du héros et tira. « Désolé, mec. »

Biram arracha l'affiche d'un coup sec, la roula puis la glissa dans sa chaussette. Son cœur s'élargit tandis qu'il reprenait sa marche. Il n'était pas mécontent : il possédait une paire de bottes en papier plus un calot couleur mer quand il fait beau.

Sa tante équeutait des aubergines lorsqu'il pénétra dans la parcelle, un carré de quarante mètres par soixante que se partageaient une dizaine de femmes aux fonctions et aux statuts indéfinissables. Un global coup d'œil dans la cuisine le découragea. Il ne mangerait pas avant quinze heures, dix-sept heures si sa tante Maguette s'entêtait aux fourneaux, convaincue qu'un tieboudien *royal* suffirait à harponner durablement son époux Moktar. Guérisseur attitré d'une cinquantaine de businessmen et appelé à s'absenter de Mbour très souvent, Moktar était supposé rentrer de voyage cette nuit. Ayant salué Maguette, Biram se déchaussa puis pénétra dans le salon, dénommé ainsi au mépris des apparences : ni vaisselier, ni tapis, ni canapé, ni bon fauteuil n'équipaient la pièce, juste un téléviseur allumé en face d'un lit de camp Picot occupé présentement par les corps pouilleux de ses trois petits cousins à la figure identique, aux réflexes identiques. Le voyant surgir, tous trois se levèrent d'un bond pour se rencogner, dans un même mouvement apeuré et confus de chiots, sur le sol en lino.

Dans un soupir d'agacement, Biram épousseta son Picot et s'allongea les mains sous la nuque. Être l'aîné, le roi des chiots, n'offrait pas que des privilèges. Bientôt, il lui faudrait changer de statut, subvenir comme un homme aux besoins de la famille. N'être plus seulement un ventre à nourrir

mais des bras. Une tête et des jambes capables.
Sur ce lit pliant qu'il s'était offert avec ses propres
deniers et qu'il n'avait autorisé nul autre gosse à
occuper, il pressentait ce qui adviendrait s'il tardait
trop encore à prendre les choses en main : subir
l'humeur malplaisante des femmes de la cour, leurs
bouches cousues, leur mépris, et cette colère qui
finirait par éclater au premier prétexte. Alors il se
contenterait de baisser la tête. Il ne vaudrait plus
un clou.

Sous l'œil stupide des morveux, Biram se ris-
qua à la prospective. Si Chérif Kane, son patron
qui l'employait deux fois par semaine, si Chérif
décédait de sa maladie, il demanderait à sa veuve
de l'embaucher à plein temps dans la buvette. À
raison d'un fixe mensuel d'environ 25 000 francs
CFA, plus un petit business par-ci par-là, il pourrait espérer 40 000 par mois. Mais au cas où Chérif
sortirait vivant de l'hôpital et déciderait de se passer de ses services… Biram s'interdit d'aller plus
loin.

Il se redressa sur le Picot, saisit la télécommande.
À la soixante-douzième chaîne du câble, une
blonde noyait un verre de lait frais dans un litre
d'eau. Ses lèvres étaient peintes, ses seins carrés et
la mélodie qu'elle fredonnait jurait avec ses gestes
virils. Puis la ménagère s'interrompait. Quelqu'un
frappait à la porte mais ce n'était pas le visiteur

attendu. L'homme, qui ne semblait ni l'époux, ni le frère, ni même le Mexicain payé pour entretenir la pelouse ou brosser la piscine, portait ses lunettes à mi-front et suait des aisselles. « Il va la tuer ! » s'animèrent les cousins en désignant le Taser que le nerveux serrait à l'horizontale derrière son dos. La Wasp en avait vu d'autres et, s'emparant d'un fouet à sauce, menaçait d'énucléer son agresseur.

Un spot publicitaire prit l'écran d'assaut au moment précis où Maguette fit irruption dans le salon. Elle était accompagnée d'une jeune fille.

– Celle-là, tu vas l'emmener au marché chez le dibiteur. Sa tante est malade, c'est elle qui l'envoie. Elle vient d'arriver de Dakar. Elle est en vacances.

Avec un rictus qui signifiait « pourquoi moi ? », Biram secoua sans rondeur la main que lui tendait l'adolescente. Il y avait suffisamment de gamins à disposition dans la pièce pour qu'il pût être, pour une fois, dispensé de cette tâche. Mais Maguette était déjà retournée dans la cour. Debout contre le mur, l'étrangère avait croisé les bras et attendait.

– Assieds-toi, lui dit sèchement Biram en dépliant ses maigres jambes. On part pas tout de suite.

C'était comme s'il avait parlé dans le désert car la fille n'avait pas réagi. Il éteignit le poste dans un mouvement d'humeur et rouspéta contre ses cousins. Pourquoi n'allaient-ils pas dehors au lieu de passer leur vie à regarder les mêmes bêtises à la télé? Et puis, avaient-ils déjà oublié cette volée qu'il leur avait infligée après qu'il les eut surpris en train de boire et manger sur son lit, ce Picot d'une place et pas de trois que je sache, qu'il était allé chercher jusqu'à Sally. Son numéro de grand terminé, il s'étira et surprit le regard de la jeune fille posé sur lui, plus déterminé qu'impatient.

— Il faut y aller, lui ordonna-t-elle avant de passer le rideau du salon et de retrouver Maguette dans la cour.

Biram rechignait à se lever. Il ralluma derechef la télé en ayant l'air de s'intéresser au destin de la blonde aux seins carrés. Par chance, elle n'était pas encore tout à fait morte. Elle rampait à présent en direction du téléphone pendant que l'homme au Taser lui avouait, la bouche pleine de larmes, quelque chose comme : «Je t'aime comme un fou», ou bien : «Ooooh, tu me rends fou.» Naturellement, les neveux, toujours massés sur le lino, se marrèrent. Les seins carrés grognèrent puis, derrière le rideau, ce fut au tour de Maguette de protester :

— Biram! Biram! La petite t'attend.

Cette fois, il dut se mettre debout, et, avant de sortir, replia son Picot, l'enferma dans un placard et régla d'autorité le volume télé au minimum. Pas de pitié pour les chiots.

– La nièce de Fouzia, fais bien attention à elle, lui jeta sa tante dès qu'il fut dehors. Là où elle dort, c'est la maison qui est juste derrière la boulangerie. Tu la ramènes là-bas quand vous avez fini avec le dibiteur. Est-ce que tu as compris ?

Biram hocha la tête et fit signe à la jeune fille de le suivre.

Ils quittèrent la cour de Maguette et longèrent en silence le goudron qui conduisait au marché. Biram réfléchissait en observant l'étrangère du coin de l'œil. Elle avait une demi-tête de moins que lui, une paire de mollets droits et son corps sentait le propre. Ses tresses jaunes lui descendaient jusqu'aux fesses, sa jupe à volants souples jusqu'aux genoux. Lorsqu'elle se déplaçait, ses savates en caoutchouc clapaient sous ses pieds plats. Elle tripotait la bretelle de son débardeur dos nu avec la coquetterie facile d'une fille de quinze ans. D'ordinaire, ce n'était pas son affaire, à Biram, les filles. Il les trouvait ennuyeuses, prétentieuses et compliquées. Il n'avait jamais rien à leur raconter et ignorait quoi en faire. Sauf dans ses rêves.

– Tu veux bissap ? lui proposa-t-il néanmoins alors qu'ils arrivaient aux abords du marché. Il supposait qu'elle lui répondrait non puisque les filles des grandes villes ne consommaient que du Pepsi. Mais c'était ça, ou bien se casser la tête à discuter.

Elle n'avait pas soif.

– Comme tu voudras, fit-il. Moi, c'est Biram.

– Moi, c'est Marème Doriane Fall. La mère de ma mère s'appelait comme ça. Elle et moi, on dirait des jumelles. Tu as déjà vu ça ?

Avec fierté, et sans aucune pruderie, elle avait relevé le dernier volant de sa jupe pour lui montrer une petite tache claire en forme d'étoile sur sa cuisse.

– C'est elle qui me l'a donnée. Elle avait la même et je suis née avec. Ça s'appelle une *tache d'envie*.

Elle noua ses tresses en chignon et ils pénétrèrent dans le grand marché de Mbour. Un four, en ce milieu d'après-midi. Un sacré fatras de denrées, de charrettes et de gens. Des allées encombrées, de moins en moins d'air. Une chaleur cinglante qui piquait la peau. Ils s'arrêtèrent à l'entrée de la halle aux viandes, dans une *dibiterie* où l'on pénétrait en manquant trébucher sur un commis endormi et glisser sur un parterre graisseux. Où, compressé dans sa blouse ensanglantée et rivé à ses bassines de mouton mariné, le patron faisait l'intéressant en déballant ses histoires :

– Ça fait des années que je suis dans le mouton, clamait-il en grattant les croûtes calcinées de ses grilles. Mais honnêtement, moi, c'est le bœuf que je préfère. La meilleure des viandes. Ça rend

26

costaud. Ce n'est pas pour rien qu'on dit *fort comme un bœuf,* et jamais *fort comme un mouton.* C'est *bête comme un mouton,* on dit comme ça. Vrai ou faux ?

Marème approuva poliment et le dibiteur poursuivit. Après le bœuf, il disserta sur le cheval, le lapin, le buffle, les volailles, le gibier, les viandes halal et, enfin, le porc. Lequel porc, contrairement à ce que l'on se figurait, ne valait pas moins que le chien. Il n'avait peut-être pas beaucoup d'orgueil mais il était affectueux. Il n'était pas cochon par vice, bien au contraire. À l'origine, Dieu l'avait créé pour vider l'arche de Noé de toutes ses ordures. À Joal, conclut-il sans sourire, il en avait même connu un qui savait faire la révérence et qui fronçait son groin de joie. L'homme se tut pour se dédier à sa pièce de viande qu'il piqua par trois fois avant de la retourner sur le gril. Ça grésilla sur les braises. L'employé somnolent se redressa et se gratta avec application l'entrejambe.

— Donne-leur de l'eau, lui ordonna le commerçant avant de s'éloigner du foyer et de s'affaisser sur un banc sous lequel un chat malingre à la queue sectionnée s'enfilait un boyau de mouton. Le dibiteur ne bougeait plus, les doigts de sa main large comme une pelle s'étant mis à chatouiller l'arrière-train de la bestiole. Marème fit la grimace et détourna aussitôt son regard. Elle se méfiait

27

des chats. Ces animaux de malheur étaient prêts à toutes les manœuvres pour assurer leur droit de vivre. Le commis leur apporta deux sachets d'eau glacée puis l'homme lui désigna le gril du menton. Il fallait ôter la viande du feu, la découper et l'emballer dans quelques pages du *Populaire* d'avant-hier.

– Ma tante ne t'avait pas menti, fit Biram à Marème. C'est ici qu'on trouve le vrai mouton.

Elle déposa son sachet d'eau intact sur un bout de table et, pour toute réponse, remua les mains pour s'éventer. C'étaient des gestes de petite fille, ni efficaces, ni nécessaires, « de fille à papa », songeait Biram. Comme si elle n'avait jamais eu à subir pareille chaleur et si longue attente. Comme si sa viande, c'était au supermarché qu'elle avait l'habitude de l'acheter. Bof, conclut-il, en aspirant toute l'eau de son sachet. Puis il enfonça ses mains dans ses poches, impatient, à son tour, d'en finir. Il n'avait rien à raconter à cette Marème. Rien qui pût la concerner, lui arracher un « waouh », un soupir admiratif, lui prouver qu'il n'était pas un plouc. Car c'est bien ce qu'elle pensait, non ? Ce qu'elle avait dû se dire en pénétrant dans le salon rustique de Maguette, sans vaisselier ni tapis ni canapé, en le découvrant, lui Biram, une tête de plus qu'elle, à moitié endormi sur un lit de camp. Ils n'étaient pas du même monde, ça c'est sûr. Et il en éprouvait brusquement une gêne. Il cherchait ses mots. Il faisait le malin.

– Ici, y a le meilleur mouton du pays, à bon prix. Si c'était chez toi, tu allais perdre tout ton temps et tout ton argent.

Elle passa une main dans ses cheveux et ses tresses roulèrent le long de son dos, comme une éclaboussure d'eau, un feu qui part.

– À Dakar, c'est pas ça qui manque, la bonne viande, fit-elle en ramenant crânement ses nattes sur le côté comme font les filles lorsqu'elles supposent qu'on les regarde, et même lorsqu'on ne les a pas vues. Seulement, il faut connaître les adresses.

En entendant le mot *Dakar*, le commis s'excita.

– À Dakar, tu connais Wasis ? demanda-t-il à Marème en lui tendant le paquet de viande chaude. Un grand long. Il travaille pour les Français. C'est lui qui est devant la porte quand tu vas au Consulat. Tu peux pas le rater.

De respect, ses yeux s'étaient agrandis dans son visage haut de front. Si bien que la bouche, un trait mal taillé, y paraissait totalement larguée. Marème haussa les épaules.

– Tu peux pas le rater ! insista-t-il, agacé par l'indifférence de la gamine. Dès que tu vas là-bas, tu le vois. Ça fait un bail qu'il y est. L'ambassade, c'est comme sa maison. Si tu veux visa, c'est lui qui va débrouiller pour toi.

La jeune fille secoua la tête.

– Aaaye Wasis! Tu vois pas qui c'est?

À bout d'arguments, il se tordait les doigts, crachouillait :

– Mais toi, là, tu vis à Dakar et tu ne connais même pas l'ambassade?

– Désolée, s'excusa Marème. Je sais où elle est l'ambassade. Bien sûr. Mais j'y suis jamais entrée, moi.

Le dibiteur s'interposa depuis son banc. Cette fille ne connaissait pas ce *Wasis qui tient la porte quand tu vas au Consulat*? Et alors?

– Désolée, répéta mécaniquement Marème en récupérant son paquet de viande chaude et en extrayant de l'élastique de sa jupe l'argent du mouton.

L'odeur de sang sur la table à trancher commençait à lui tourner la tête. Sans un mot, sans tenir compte de Biram, elle paya l'homme et se hâta vers la sortie du marché. Cohue, même fournaise. Sa jupe en lycra collait aux cuisses et ses pieds transpiraient dans ses savates. Elle manqua perdre l'équilibre en longeant la queue leu leu d'étals des poissonniers et entendit une voix l'interpeller. Biram l'avait rejointe. Sa chemise était trempée, il avait couru pour la rattraper.

– Qu'est-ce qui te prend de filer comme un petit voleur?

Elle bafouilla. Elle avait eu un malaise et, pour finir, ce nigaud d'employé qui l'avait saoulée.

– Il est pas méchant. C'est juste de la curiosité. Ça se voit que tu n'es pas d'ici.

– Tu as raison, ce n'est pas ma ville.

Soudain légère, elle ralentit le pas et se remit à jouer avec la bretelle de son maillot. On distinguait les pétales roses de sa culotte sous sa fine jupe à volants.

Plus tard, avant d'atteindre la maison de Fouzia, elle ajouta :

– La vieille est pas facile et elle râle tout le temps, mais ma cousine est gentille. Elle vaut dix-neuf ans et on rit bien ensemble. Tu sais ce qu'elle dit de Mbour ? Elle dit que c'est la zone et que ça rend taré. Dès qu'elle peut, elle, elle décolle.

– Ta cousine, je vois bien qui c'est. Elle parle, elle parle, mais La Signare, je suis sûr qu'elle connaît pas. Là-bas, il y a un balcon et, quand tu grimpes dessus, c'est comme au cinéma. Tu vois tout : la mer et même derrière la mer. Quand t'es debout sur ce balcon-là, c'est comme si le monde entier il était pour toi. Pour y aller, il faut marcher sur la plage, tu marches un peu et c'est la dernière maison. Elle est grosse. Si tu veux, je t'emmènerai. Y a pas de problème.

Il lui montrerait, à cette étrangère, qu'il n'était pas un bouseux. Que derrière sa dégaine de gosse, il y avait quelqu'un, peut-être pas aussi éduqué qu'un mama's boy de Dakar – il avait arrêté l'école à l'âge de quatorze ans –, mais un gars sans frousse. Un cow-boy. Ouais, parfaitement, un cow-boy.

D'abord, il y avait du sable. Et avant que la mer ne commence, ce large drapeau noir effiloché fixé à un vieux mât métallique, sous lequel une quinzaine d'hommes discutaient. Il y avait ensuite un container marine de six mètres de long qui, après avoir fait au moins cinquante tours du monde et charroyé toutes sortes de marchandises, était venu pourrir ici jusqu'à ce que le patron de Biram, Chérif Kane, technicien horticole à la retraite, le récupérât, le transformât en snack-bar et le baptisât, sans le moindre complexe, Le Normandie. Pour le verrouiller, un simple cadenas que Biram, précisément, était en train d'ouvrir. Le garçon n'était pas pressé. Mardi et jeudi, les deux jours où Chérif l'employait, la buvette n'ouvrait qu'à dix-huit heures. «Dix-huit heures, c'est pas dix-huit heures

33

moins cinq », claironna-t-il en entendant ses clients s'impatienter.

Il savait désormais comment les mater. Il savait qu'un client gâté finit toujours par abuser de la bienveillance du patron, par le flouer au prétexte qu'il est un habitué et qu'il n'y a rien de plus important dans la vie d'un Africain que l'amitié et la coutume. Ces derniers temps, ils se plaignaient tous de la crise : la crise, la crise, la crise. Mais qu'est-ce qu'il y pouvait, lui, si cette crise leur avait pris leur métier pour les abandonner sur les sièges cagneux du *Normandie* ? Rien ne les obligeait à se tourner les pouces. Ils n'étaient ni borgnes, ni manchots que je sache.

Sans aucun attendrissement, et même avec une certaine arrogance, Biram prit tout son temps pour pénétrer dans le container, d'où il extirpa de quoi recréer à l'extérieur, sur le sable, un café balnéaire : un comptoir mobile de piscine d'hôtel, une radio, deux tapis industriels, un assortiment de chaises de bureau cédées par une ONG, ainsi qu'un lot de tables dépareillées qu'il égaya de sets, de coquillages pour les fumeurs et de boîtes de lait concentrées Nido usagées déguisées en bougeoirs. Il s'assura qu'il restait du gaz dans la bonbonne, des paquets de biscuits Biskrem, du sucre, de la margarine, du Nescafé, de la Vache qui rit, des sardines, des miches de pain pas trop sèches, du Choco Lion à tartiner, des arachides grillées, du concentré de tomate, de la mayonnaise, des cigarettes et du thé Lipton. Et passa ensuite un vain coup de balai sur les tapis avant de se poster derrière le bar.

«C'est moi le couillon, pas eux. C'est vraiment moi le couillon», marmottait-il en pensant au salaire de couillon qu'il percevait chaque semaine et à la tête contrariée de Chérif lorsqu'il lui remettait ses deux petits billets. «Si encore il me disait *Merci Biram*. Si au moins il souriait au lieu de *serrer la mine* et de faire comme si c'était moi qui devais le payer. Franchement, s'il n'était pas aussi mal en point, je lui dirais sa vérité. Que je ne suis pas son boy, moi! Que, sans moi, sans toute la peine que je me donne depuis trois mois, son *Normandie*, il lui aurait dit *ciao* depuis longtemps!»

La mayonnaise en pot avait tourné. Il se rabattit sur la margarine qu'il aggloméra aux sardines avec le dos d'une fourchette et l'innocence d'un jeune homme qui, ne connaissant rien à la cuisine, pense que tout ce qui se mange s'assemble et se mélange bien dans le ventre. Ses vingt premiers casse-croûte fourrés, il compta le nombre de miches qu'il lui restait et les entreposa dans un récipient en plastique hermétique. Ce reliquat était destiné aux gars de la nuit, ceux qui débarquaient parfois vers vingt-deux heures au *Normandie* leur dernière pièce en poche. Le ventre pas tout à fait vide, ils se contenteraient de pain beurré qu'ils tremperaient dans un café clair sucré, comme des gamins heureux.

Rapidement, il fut vingt heures et Biram cessa de gesticuler. Appuyé au mât, il avait fermé les yeux. La figure face à l'océan, il respirait l'odeur de terre de la mer. Il l'avalait. Elle coulait dans sa gorge, elle se répandait et il se sentait faible. Ses lèvres tremblèrent, son cœur battit comme pour rompre. Il tenta d'ouvrir les yeux et de relever la tête pour lutter d'égal à égal, mais la mer le tenait et neutralisait chaque cellule vivante de son corps. Alors il se remémora la légende de Mami Wata, cette sorcière mi-poisson, mi-femelle, aux cheveux longs et aux vêtements de marque qu'elle achetait dans toutes les capitales où elle passait. Seulement, ce n'était pas par goût de la sape qu'elle se vêtait avec autant de classe. Sa belle allure, c'est ce qu'on racontait, était un traquenard. Les hommes qu'elle séduisait ne duraient pas longtemps. On les retrouvait morts, ou fous.

Il sursauta. Ibrahim, un ancien pêcheur, s'était approché dans son dos. *Un buffet*, s'effraya le garçon en se retournant sur le buste volumineux de l'homme.

– Tu sais quoi, petit ? Je viens d'en sortir une : vingt-sept kilos, je te jure. Et si tu vois ses écailles : ça brille comme du rubis. Ça peut te faire pleurer comme un bébé.

Biram brouillonna un sourire : cela faisait plus d'un an qu'Ibrahim n'avait pas pris la mer.

– Il faut avoir un cœur qui tient bon, parce que la carpe rouge, elle aime trop lutter. Si tu la touches et que tu la rates, c'est fini. Tu peux perdre ta nuit à la chercher. Tu manges, ça, toi, la *diabar* ?

Une semaine plus tôt, au large des Almadies, c'est un requin-marteau mâle d'à peu près trois mètres qu'il prétendait avoir gagné. Il avait lutté quatre jours, lutté-fatigué, mais il s'en était bien tiré en revendant les ailerons pour une fortune.

– Tu peux t'appeler Ying, Young, tu peux avoir chalutier, usines, rien ne vaut la *gaal*. La pirogue, c'est traditionnel. C'est nous, c'est dans notre sang.

Un peu plus loin, à la table du professeur Diabang, s'engageait une tout autre discussion. On débattait de l'arrivée du rallye, en quoi l'événement chamboulerait la vie du quartier. Personne n'était d'accord avec personne. On ne percevait plus qu'une collection de râles, de conjonctions et d'onomatopées. On ne cessait de tout reprendre depuis le début.

– *Sensiblement*, trancha le professeur. La question fondamentale que je pose, moi, c'est : en quoi l'arrivée du rallye modifiera *sensiblement* la vie de notre quartier ?

Nul parmi les causeurs ne se bouscula pour répondre, mais à leurs fronts chiffonnés et à leurs déglutitions, on devinait que tous s'acharnaient à réfléchir. Pas à la manière dont l'espérait Diabang, non. Ils réfléchissaient avec l'émoi et la honte des petites gens invitées très rarement à exprimer leur point de vue. Ils se détendirent lorsque Biram leur apporta le thé et des ramequins d'arachides. Là, au moins, ils avaient des choses à dire.

— Messieurs, de grâce ! s'exclama le professeur en tapant des mains pour les rappeler à l'ordre. On ne s'est tout de même pas réunis ce soir pour se remplir le sac stomacal ?

Les hommes, qui n'osaient plus mâcher, se remirent à cogiter tandis que, de nouveau derrière son bar, Biram se demandait où il avait bien pu ranger les prospectus de Diabang. Ils lui étaient complètement sortis de la tête, ceux-là.

— Mais c'est la même chose qu'on est en train de dire, ou bien ? ripostèrent timidement un peintre en bâtiment et un tailleur pour dames.

Ils s'adressaient à Diabang.

— Précisément, non, les corrigea le professeur, en remboîtant son dentier. *Sensiblement*, ça veut bien dire ce que ça veut dire. C'est de manière sensible, de sorte à ce que cela se voie.

Le tailleur croisa les jambes et parla au nom de tous.

— Nous, fit-il en les décroisant finalement aussitôt, ce qu'on pense, c'est que si ça peut nous permettre de faire des affaires et de reprendre nos petites activités, alors cette arrivée est une bénédiction. L'homme qui est loin de son foyer a toujours besoin d'acheter même s'il n'est pas venu pour dépenser, non ? Si c'est pas du savon qu'il voudra, c'est des draps. Si c'est pas des piles c'est des bidons. En tout cas, manger, ça, ça vaut pour tout le monde. On a du charbon, on a des bêtes et il y a des femmes qui savent bien préparer.

— Messieurs… MEssieurs… MEESSIEURS ! fit Diabang un ton au-dessus du niveau sonore de la mer, permettez-moi de vous rappeler que, comme a dit l'éminent : *Nous ne sommes pas des pauvres aux poches vides sans honneur*, et donc que les yeux d'un homme ne sont pas des œillères. La révolution ne connaît ni la faim. Ni la peur. Mais l'honneur ! Mais la dignité ! Mais l'incorruptibilité !

Certains clients quittèrent la table cependant que le professeur débattait déjà d'un autre sujet : le projet de construction d'un casino dans la région. Bien entendu, il était radicalement, passionnément, philosophiquement contre et engageait l'ensemble des Mbourois à boycotter ce merdier.

— Serions-nous donc ces pauvres aux poches vides sans HONNEEUUR ?

Il n'y eut pas de réponse. Les hommes du Normandie se moquaient bien de la révolution. Ce qu'ils voulaient, c'était leur pain aux sardines.

Biram n'écoutait plus l'intellectuel. Il songeait à ce qui s'était passé après le marché, lorsqu'il avait raccompagné Marème chez sa tante Fouzia. Fouzia, quel phénomène celle-là ! *Une spécialité*, s'était-il dit en découvrant cette femme qu'il n'avait vue jusqu'à présent que de loin, ses chaussures d'intérieur à pompons deux fois trop petites pour ses pieds et sa crinière rousse super synthétique de vieille gazelle. Quant à sa fille Fatime, il n'avait même pas de mot pour la décrire. Son style-là, il n'était pas fan. Elle s'adressait à vous du bout de ses babines cirées, comme si vous la répugniez. Elle ressemblait à sa chambre : préfabriquée et blindée d'accessoires. À ce faux machin en poils qui recouvrait son lit, sur lequel il s'était assis, et avait certainement oublié les prospectus de Diabang. C'était surtout le comportement de Marème qui l'avait dérouté. Sitôt dans la bonbonnière de sa cousine, la jeune fille l'avait snobé. À croire qu'ils n'étaient jamais allés ensemble chez le dibiteur et qu'il l'avait rêvée, la tache en forme d'étoile sur sa cuisse. « Je vais vous laisser » avait-il annoncé sans pour autant se lever. Il espérait qu'elle réagirait : *Merci beaucoup. À très bientôt. Bonjour à Maguette*, le minimum. Lui aussi avait sa dignité.

Bon, il avait fini par déloger sans que personne,

dans cette maison de crâneuses, s'occupât de le raccompagner.

Il servit les sandwiches. Les hommes mangèrent en silence puis, comme une seule ombre, s'éloignèrent du *Normandie* à pas de tortue. Une nuit de plus s'écoulait mais rien n'arriverait. Aucun départ en mer aux aurores, aucune espèce de besogne. Ils s'assoiraient dans leur cour à midi et un gosse leur ramènerait de quoi faire cuire le thé.

— Vous avez raison : allez roupiller dans vos niches! Ignorants! Damnés de la terre! Bougres de pantins!

La bouche encombrée de tabac à rouler et de fragments de cacahuètes, le spécialiste ès-Labou Tansi injuriait ceux qui partaient pendant que Biram fermait la buvette, remettait les tapis, les tables, les chaises, le snack tout entier dans le container.

— Toi aussi, le gosse, tu me laisses tomber?

Biram n'eut pas le courage de répondre. Il pensait comme les autres. Le rallye était une aubaine : on ne pouvait pas cracher dessus.

— Donne-toi au moins la peine de me raccompagner chez moi, reprit Diabang avec une voix où perçaient l'écœurement et la fatigue. Biram s'exécuta. Il s'empara des poignées du fauteuil et, encore plus lentement que ne l'avaient fait ses clients, s'orienta vers le goudron.

41

– Change de vitesse, le gosse. Ce n'est pas un mort que tu transportes. Je suis vivant, tu entends : Toumani Diabang est un *nègre fondamental*, et un nègre de ce tabac-là, ça ne meurt pas.

Tout le temps que dura le trajet, Diabang ne parla que de lui. Il raconta ses cinq années au Prytanée militaire de Saint-Louis, sa rencontre avec un cousin de Léon-Gontran Damas, à Rabat, les revues panafricaines où l'on avait pu croiser son nom, ses mille huit cents 45-tours et trente fois plus de cassettes, son projet foncier à Brazzaville, dit Nkuna dans la plus pure tradition téké. Son CV s'achevait par une route mal enfilée et un accident qui lui avait coûté les jambes. Car Dieu est grand : il n'était pas mort. Il s'était mis à écrire, et, en neuf ans à peine, avait accouché de *Bonbonnes* : mille quatre cents pages publiées à compte d'auteur où il développait son théorème littéraire :

Sachant que B (Bonbonne) est égale à UECH (Unité d'Énergie Contenue dans le corps Humain),

et que NB (Nombre de Bonbonnes) correspond à CV (Capital vital) dont nécessite ce corps pour évoluer. Alors : UECH – B × NB = ZERO

Soit : vider l'ensemble de ses bonbonnes revient à gâcher sa vie.

Sans cesser d'indiquer le trottoir à Biram, puis l'allée et le bon virage à prendre pour rentrer chez lui, il s'expliquait :

— Moi, par exemple, j'étais un homme de poids. Le *Lumen*, celui qui éclaire les mal entendants. Là où je délivrais mon savoir, les mouches ne volaient pas. On me témoignait du respect. J'avais, je te le dis sans rougir, un nombre spectaculaire de *bonbonnes*. Mais vois-tu, le gosse, victoire et déclin font partie d'un même cercle. Un matin, tu te lèves et tu constates que presque toutes tes bonbonnes sont vides. Celle qui te reste ne vaut rien. Même un enfant de cinq ans peut la soulever.

Biram hocha la tête. Quelque chose dans cette théorie pâteuse du vieux lui rappelait vaguement ce que disait l'imam à la Grande Mosquée : la plus grande épreuve du croyant n'était pas de vivre dans l'infortune, mais de finir ses jours malade, sans le sou, et sans la bénédiction d'Allah. *Donne-moi une bonne fin s'il te plaît* : voilà ce que le fidèle devait réclamer tous les jours au Puissant.

Ils pénétrèrent dans un quartier de malheureux et Biram sentit son cœur fondre comme de la glace. Il n'y avait aucune maison debout, par ici. Mais des bout-à-bout de planches et de feuilles de tôles, un jeté de cases collées les unes aux autres, percées d'ouvertures protégées par des bâches. Une lumière de lampe à huile signalait la présence d'habitants bien que ce fût le manque d'activités humaines que l'on remarquât plutôt : personne pour regarder sa télé, préparer son riz gras ou cancaner avec ses voisins.

Ils étaient arrivés.

— Moustiques, déclara le professeur en chassant du dos de sa main les insectes qui leur foncèrent dessus dans un raid étourdissant. Tous les soirs, c'est l'embuscade. Ils savent où est ma maison, alors ils m'attendent.

Sa maison, c'était neuf mètres carrés garnis d'un matelas-mousse, d'une chaise de jardin et d'une colonne dangereusement penchée de livres gondolés.

— Ma Sorbonne à moi, fit-il fièrement après avoir décapsulé une canette de soda et nettoyé avec une feuille de journal le cul mouillé de la chaise. Puis il tendit à Biram une tasse Air Afrique qu'il remplit à ras bord de Fanta tiède : Santé !

— Santé ! repartit Biram.

Mais incapable de boire, il restait debout à dévisager Diabang. Des visions angoissantes lui traversaient l'esprit. Il imaginait le professeur dégringolant de son trône en ferraille, s'écrouler *boudoum* sur le Gerflex détérioré et ramper comme une blatte. Il examinait le col marron-crasse de sa chemisette et pensait que l'intimité d'un homme ne regarde que lui, qu'il vaut mieux ne jamais y mettre les pieds. Il n'avait jamais vu l'infirme d'aussi près. Il ignorait son mode de vie, s'il était logé dans du propre, s'il touchait une pension, s'il avait des fils, même un voisin sur qui compter en cas d'emmerdement, car un malheur est si vite arrivé. Comment s'organisait-il pour sa toilette, sa cuisine ? Comment fichtre s'y était-il pris pour empiler tous ces livres ?

– Au lumen ! À la connaissance, le gosse !

Biram vida sa tasse de mauvaise grâce et s'en alla. Il marchait vite et, dans la nuit qui le dissimulait, il sentait des larmes de compassion monter : « C'est rien du tout ça. » Il s'essuya la joue. « Juste la fatigue. »

Il ne fut pas long à retourner chez sa tante et comprit aussitôt que son oncle Moktar était rentré. Dans la cour où persistait l'odeur du tieb royal, quelques nouveautés s'amoncelaient : serpillières par lot de trois, seaux en plastique de cinq et de dix litres, savons antibactériens, pintades casquées. Tout cela afin que nul ne pût prétendre que le grand Moktar Cissé était revenu chez lui les mains percées. « Voilà au moins quelqu'un qui sait se faire respecter ! » admit Biram en examinant la paire de gallinacées aux plumes pailletées qui cacabaient dans leur cage.

Il pénétra dans le salon et alluma l'interrupteur. Inhabituellement cois et figés sur leur natte, les cousins affectaient de dormir.

— C'est quelle espèce de sommeil ça ? Vous vous moquez de moi ?

Ils ne réagirent pas. Il les enjamba et dégagea du placard le lit de camp, son vieux Picot, ce sacré vieux Picot dont il pouvait affirmer : « C'est à moi. Je le connais par cœur » tout comme « On en a fait du chemin ensemble », dont il eût pu, sans mentir, parler des heures car il se souvenait de tout. Du nom de l'aveugle qui avait conçu le lit, du prix de la course pour le transporter à Mbour, des huit heures d'affilée à le rafraîchir, renforcer son piétement, doubler sa toile de sorte qu'il pût s'allonger dessus peinard, en regardant des séries ou des clips vidéo.

Mais ce soir, il ne fallait pas compter sur la télé. Comme toutes les femmes que le retour d'un mari argenté rend égoïstes et mesquines, sa tante avait déménagé le poste dans sa chambre et installé son grand Moktar devant, après lui avoir servi des amuse-bouche et son tieb. Le meilleur, elle l'avait gardé pour la fin : une nuisette rouge en dentelles tout juste sortie d'usine qui attendait son heure de gloire dans l'armoire. Maguette s'harnacherait vers minuit, après le café et *Moi Diaspora*, un talk-show de deux heures au cours duquel des célébrités de la diaspora ouest-africaine déballaient leur vie privée. L'émission venait d'ailleurs de démarrer. On entendait, jusqu'au salon, le rire cruche de son animatrice et la musique expérimentale de son générique, un genre de jungle mixte, cosmique et traditionnelle.

Rabattant son dossier, Biram soupira et, de son doigt le plus compétent, s'employa à décrotter rigoureusement son nez. Cette Afrique de l'autre bord, il aurait bien aimé lui dire en face ce qu'il pensait d'elle. Ils se prenaient pour qui, ces Diaspo avec leur parler *cheucheucheucheu* et leurs anecdotes à la gomme? L'autre jour dans l'émission, il y avait un rappeur, là, il était trop grave. Il parlait de sa mère, comme quoi sa vieille avait dû galérer pour l'élever, et qu'au lieu de lui crier après, elle le prenait dans ses bras tous les soirs pour lui raconter une histoire. Elle lui avait transmis «tous les trésors d'Afrique», c'est ce qu'il voulait nous faire croire, l'autre. La «sagesse» africaine, les «valeurs» africaines, bref, il disait que tout cela lui manquait et qu'il ne ratait jamais une occasion pour partir au pays se *ressourcer.* Ressourcer quoi? Se ressourcer mon œil! Biram poursuivait: «D'ailleurs, c'est bien simple. Si un jour j'arrive à faire ma vie en Europe, je ne veux même pas entendre parler de *diaspora.* Même si on me prend pour un malade

mental, un fasciste, un intégriste, un campa-
gnard, c'est leur problème. Diaspo, c'est du toc de
Chinois. Tu es africain ou tu n'es pas africain, il n'y
a pas de milieu, point trait. »

Ses travaux d'assainissement nasal terminés, il
jeta ses sécrétions à terre puis, se concentrant sur
le mur qui lui faisait face, considéra d'un œil scep-
tique les deux bogolans tout neufs qui l'ornaient.
Une bonne idée en soi, mais rien ne durait avec les
morveux, incapables de raison, malgré leurs sept,
neuf et dix ans respectifs et les dissuasifs coups de
savate de Maguette sur leur croupion à chaque
bêtise. C'était d'un chef de famille à plein temps
dont ils avaient besoin. Biram tourna la tête. Son
visage exprimait la rancune. Le voilà qui songeait
de nouveau à son père. Il y pensait avec l'énergie
contrariée d'un enfant sur le point de capturer
un lézard qui lui échapperait au dernier moment,
avec le sentiment d'avoir nourri une rage inutile.
Souleyman Diop était mort sans que lui, fils, y fût
pour quelque chose. Sans qu'il ait eu le temps, ou
plutôt le courage, de le vaincre, ou au contraire, de
lui pardonner. Il éteignit la lumière et la ralluma
aussitôt en entendant les morveux chuchoter :

— Si j'entends encore le moindre bruit, c'est une
raclée, la porte et dehors toute la nuit, compris ?

Il fut debout, lavé avant tout le monde et, s'étant habillé, traversa silencieusement la cour. Dans la chambre tout acajou de Maguette, le téléviseur grésillait encore, largement battu par les ronflements de Moktar. Un instant, il se demanda comment son oncle réagirait si, durant son sommeil, un bandit le dépossédait de sa richesse, de sa femme, de ses cellulaires, de sa collection de fausses Rolex et de ce paquet d'argent que ses activités de marabout et d'analyste en gestion dans la production cimentière lui rapportaient. Il s'en voulut d'être aussi ingrat. Sans la charité de Moktar et la bienveillance de Maguette, il aurait fait le talibé, il aurait probablement mendié devant la mosquée à l'heure qu'il était. Il était trop tôt pour bien voir devant soi et, sous ce ciel aux lumières indécises, la ville semblait différente. Un peu comme dans un rêve où les arbres auraient des jambes et où les maisons seraient toujours un peu plus que des maisons : des montagnes, des monstres assis ou bien des pyramides.

En atteignant l'avenue qui se déroulait en ligne droite jusqu'à la plage, il se souvint que c'était par cette voie-là qu'il était arrivé à Mbour, huit ans plus tôt. Le taxi six places s'était arrêté et ils avaient marché, lui et Maguette, lui derrière Maguette, son sac à goûter au dos, ses yeux de gosse gonflés et rouges. Il habiterait chez cette tante de Mbour jusqu'à ce que sa mère eût recouvré la santé. À l'époque, Maguette n'avait qu'un fils et un mari encore sédentaire et fluet. Elle ressemblait à Ngoné, en plus courte et moins douce. Sur l'avenue droite comme une aiguille qui menait à la mer de Mbour, elle s'était retournée pour lui moucher le nez. «C'est les filles qui pleurent, pas les garçons!» Et il s'était rappelé les hurlements de sa mère lorsque les portes de la grande case aux fous, vermoulue de partout, loin de tout, s'étaient refermées.

L'esclaverie empestait la bête. Au rez-de-chaussée, une dizaine de chiens jaunes à moitié pelés se serraient les uns contre les autres au milieu des gravats. Flairant le retour des battues, ils avaient déserté les rues de la ville et grognèrent imbécilement en voyant approcher Biram.

— Espèce de fils de chiens! leur cria le garçon en s'emparant instinctivement d'un long bâton tordu en fer forgé qui avait dû, dans ses plus belles années, soutenir un tabouret ou un guéridon chic. Ici, c'est chez moi. T'as pas payé ton loyer? Alors dégage!

Il n'eut pas à négocier. Les chiens se remirent aussitôt sur leurs pattes pour s'engager en file indienne vers la sortie. D'un coup de pied, il referma le portail de La Signare et, tout en sifflotant, gravit les marches jusqu'à son observatoire. Il n'y demeurerait pas longtemps. Dans la matinée, il irait à la boutique payer un sac de riz pour la famille et on verrait bien qu'il n'était pas un zéro multiplié par zéro.

Il s'arrêta en haut de l'escalier en découvrant Marème accoudée à la balustrade. On aurait dit un génie dans sa gandoura en tissu fluide. Le soleil se décolla des eaux et comme dans un batik où les motifs s'ordonnent librement, sans profondeur de champs ni perspective, tout lui apparut en même temps : étrangère, ciel, balcon, palmier, sable, vagues. Cette image l'émut et il attendit que son piqué soit plus net pour reprendre son souffle et lâcher un bonjour. «Aleikoum Salam», lui répondit Marème sans paraître surprise de le voir. Elle avait dû reconnaître sa voix lorsqu'il s'était mis à crier après les chiens.

– Ces bâtards, ils n'en ont plus pour longtemps! s'exclama Biram. Mais le problème, c'est que ça se multiplie. Ils ont beau les massacrer, toujours ils reviennent, plus vilains et plus nombreux. Tout à l'heure, en bas, ils étaient au moins trente, mentit-il tandis que la Dakaroise glissait ses pieds vernis dans ses claquettes et ramenait coquettement sa main sur sa hanche.

Biram était à présent à côté d'elle. Les deux scrutaient l'océan.

– Et autrement, les vacances, ça gaze?

Il repensait avec dégoût à la maison de Fouzia. Quel intérêt pour une citadine de se retrouver là, sous le toit d'une rombière et d'une perruche?

Marème haussa les épaules. Elle avait déjà duré presque deux semaines chez sa tante.

– Le problème, se plaignit-elle, c'est le temps. Quand tu crois qu'il est midi, il n'est même pas huit heures et quand tu surveilles l'horloge, toi-même tu constates que les aiguilles ont du mal à tourner. À Dakar, je ne me demande jamais quelle heure il est.

Son regard suivit machinalement les déplacements horizontaux des mouettes puis s'attarda sur une silhouette de femme qui déambulait sur la plage.

– Celle-là, fit Biram en pointant du doigt la promeneuse, elle fait partie des *Pleureuses de la Petite*

Côte. C'est une association de mamans qui ont perdu leur fils. Souvent, tu les trouves sur la plage parce que c'est là qu'elles ont vu pour la dernière fois leur enfant vivant avant qu'il embarque dans un bateau et parte en Europe *faire l'aventure*.

— C'est des rêveurs et des idiots ceux qui croient qu'avec une pirogue on peut faire le tour du monde. Il faut gagner l'argent pour voyager bien. Là, tu vas à l'aéroport. On te met dans l'avion, on te sert à manger dans l'avion, tranquillement, comme tout le monde. En tout cas, c'est comme ça qu'il fait, le frère de mon papa, quand il part en Europe.

Marème se tut. La Pleureuse venait d'entrer dans l'eau.

— Quand c'est tôt comme ça, elles ont la paix. Elles pleurent, elles demandent à Dieu ce qu'elles veulent, personne ne les embête. Toi, tu sais nager ?

Il désirait amener Marème à ce qu'il connaissait, lui : la mer de Mbour, rien que cela, aussi fraîche et placide, à cette heure, qu'un lac. Il ne réfléchit plus et se saisit de sa main pour l'entraîner vers la plage. Déjà en slip, il se jetait à grands cris dans l'océan tandis qu'elle retirait avec embarras sa tunique, se demandant en son for intérieur de fille, car il faut être une fille pour appréhender l'existence de la sorte, où suspendre son vêtement afin qu'il ne se froissât pas, et si l'élasthanne de ces dessous résisterait à l'eau. Elle s'interrogeait sur la raison exacte de son escapade. Que s'était-il passé pour qu'elle quittât d'aussi bonne heure la demeure de sa tante alors que sa cousine Fatime venait de rentrer de sa soirée ? Pour quelle raison, puisqu'elle en claquait d'envie, n'était-elle pas allée l'accueillir et la questionner ? Avec cette mauvaise foi commode qu'autorise le monologue intérieur, elle se persuadait qu'elle avait eu besoin de prendre l'air. Sauf la cour, il n'y avait, chez sa tante, que des espaces clos et sombres. Chaque pièce avait son ventilateur mais quel bruit quand ils tournaient ! On ne pouvait ni discuter ni dormir.

— Elle est bonne, lui cria à pleins poumons Biram dont le buste, quelque part au large, montait et descendait comme une vague doucement cambrée.

Elle se décida enfin à entrer et rejoignit le garçon en quelques brasses. Ils nagèrent côte à côte et revinrent s'adosser tout essoufflés contre les rochers. Les doigts de pied de Marème avaient fripé. Son nez coulait. Elle paraissait soudain très jeune et s'exprimait comme une petite gâtée. Son père était un fonctionnaire. Dans sa maison du point E, à Dakar, elle avait un lit pour elle toute seule, un miroir ovale fixé au mur ainsi que Mariah Carey collée au plafond. Le jour de son anniversaire, sa mère lui préparait ses plats préférés. Elle apprenait bien à l'école. Quelqu'un lui avait prédit qu'elle travaillerait dans la mode à cause de sa taille et de ses yeux de Chinoise. Elle s'interrompit en voyant la pleureuse se pencher pour frapper l'eau de ses poings. À chaque soufflet, le foulard de tête de la maman penchait. Sa bouche bavait et crachait des gros mots de soûlard. Elle chancela et Marème pensa : « Faites que jamais je ne devienne comme elle. Faites que je sois toujours présentable. »

Il était huit heures lorsqu'ils quittèrent la plage d'un jaune industriel sous le soleil. Marème ne parlait plus et, tout en balançant mécaniquement ses bras d'arrière en avant, pensait au Point E avec une certaine nostalgie, avec un léger pincement au cœur à l'idée qu'au moment où elle végétait dans cette localité de province où des mères désespérées pleurnichaient leurs fils morts, un événement amusant devait se dérouler à Dakar : un baptême, un rendez-vous chez le tailleur ou une bavardise entre copines. Elle comptait les jours : « Encore deux avant de rentrer à la maison. » Puis elle soupira excessivement fort en balançant de plus belle ses bras. S'arrêtant, elle ramena ses yeux sur le garçon.

– On m'attend. Salut, fit-elle sans un sourire ni un *va en paix,* avec ses tongs fatiguées et ses mollets secs.

Il la regardait s'éloigner et songea que les femmes étaient des vents. Leur humeur tournait vite.

Cette pensée-là lui revint plus tard lorsque, chargé d'un sac de riz thaï dix kilos, il rentra chez sa tante qu'il trouva dans la cuisine. Une brosse à la main, elle s'acharnait à briquer son sol, plus aussi amoureuse que la veille, plus du tout rieuse ou légère, mais grommelante et vulgaire. Elle était à quatre pattes et on voyait se balancer une étiquette au dos de sa nuisette presque neuve. Sans se relever, sans même faire cas du riz qu'il lui avait apporté, elle finit par lâcher :

— Ton oncle est rentré de Thies, il veut te parler.

Biram n'était pas particulièrement pressé de retrouver Moktar et s'arrêta d'abord dans les toilettes pour imaginer ce dont l'homme l'entretiendrait. Se bornerait-il à lui raconter son séjour à Thies ? Ou allait-il, comme à son habitude, lui faire la morale et lui rebattre les oreilles avec ses aventures ? Avant de travailler dans le ciment et de jeter les cauris, Moktar avait été démarcheur de parcelles, *grass boy*, javelliseur de terrasses, homme-feu rouge, rustineur, racoleur pour coiffeurs, collecteur-trieur de canettes, gardien au Méridien Dakar. Il avait fait la vie de A à Z. Il ne lui manquait plus qu'une guerre pour être un héros.

Il poussa la porte de la chambre, vit le mari de Maguette planté devant la télé et, là, afficha une drôle de tête. Pas à cause du peignoir de luxe à bandes verticales aux couleurs du Milan AC dont était attifé l'homme, ni du plaisir sérieux que celui-ci semblait prendre à raboter ses cors et ses durillons, mais parce que c'était sur son Picot une place où, précisément, était installé son tuteur, avachi, pour mieux dire, puisqu'il y avait pris ses aises sans complexe ou décence au point qu'on voyait flotter, entre les deux pans du peignoir, son gros ventre et la partie émergée d'un slip distendu.

— Prends une chaise et viens là, commença Moktar en s'attaquant à son second pied.

Le gosse s'exécuta et, détachant son regard du lit pliant, prit son air le plus dégagé pour répondre au «quoi de neuf?» d'usage de l'oncle.

— J'ai pas à me plaindre. Les clients, ça va, le travail ça roule. Pour le moment, c'est que deux jours par semaine, mais peut-être ça va changer. Faut attendre, c'est tout ce qu'il y a à faire.

— Parfait, super, articula Moktar sans entrain.

Il s'était saisi d'un tube de Nivea presque vide qu'il pressait de ses dix doigts pour en récupérer le fond.

— Plus tu as, plus tu as. C'est mathématique. Le tout c'est de ne pas brûler les étapes. Si tu t'accroches, tu auras une bonne vie parce qu'au jour d'aujourd'hui, manger pour manger ne suffit pas. Regarde autour de toi : tout le monde rêve de posséder une voiture de luxe. Y en a qui disent que c'est dégueulasse, moi, je dis qu'ils ont raison, les gens, d'espérer plus. Pourquoi pas? Qui a dit non? Seulement, ça s'gagne pas au poker, le luxe.

Et tandis qu'il crémait les parties glabres de sa couenne, Biram restait aux aguets. Il attendait le moment où l'époux de Maguette cesserait son cirque, relèverait la tête pour lui parler court et clair. Il n'attendit pas longtemps :

– Écoute-moi bien, Biram. Moi, je suis un challenger, d'accord? J'aime quand ça bouge.

Il s'arrêta pour se racler la gorge et nouer la ceinture trop fine de son peignoir.

– Jeudi, je vais à Kédougou épouser une femme et acheter des terrains pour cultiver l'arachide. Là-bas, y a pas la mer mais il y a de l'espace. La moitié d'un million, et tu possèdes un village! Expansion, décentralisation, c'est comme ça que je vois les choses personnellement. Seulement, l'autre, ta tante, elle ne veut rien entendre. Elle dit *c'est elle ou c'est moi*. Elle cherche la bagarre et ça ne m'intéresse pas la bagarre. Maguette est la prunelle de ma vie, d'accord? Ce qui est à moi est à elle et ce qui est à elle, c'est à moi aussi. C'est ça la famille.

Moktar jeta le tube de crème à terre et s'arma d'une socquette pliée en deux pour se décrasser les oreilles.

– Depuis combien de temps tu vis chez nous? Moi-même, j'ai oublié, tellement je te considère comme mon petit frère. Tu as ma confiance, ça c'est pas discutable, mais tu dois passer à la vitesse supérieure. Dès que j'ai mes terrains, tu laisses tomber ton hobby chez Chérif et tu me rejoins à Kédougou. Tu veux gagner ? Tu vas gagner ! Je vais te donner du boulot à gogo.

Comme s'il avait été plongé dans une bassine de glu ou qu'un serpent venait de le mordre, Biram sentait son corps s'engourdir. Il aurait voulu se lever d'un coup, rire ou pleurer d'un coup, réagir d'une manière ou d'une autre à ce que lui annonçait son oncle, mais, au lieu de quoi, il restait assis sur sa chaise, tête baissée. C'était, se disait-il, même pas triste même pas en colère, la même histoire que lorsqu'il était venu vivre à Mbour, personne ne songeait jamais à lui demander son avis. On statuait sur son sort. On pensait à sa place. On se permettait même d'utiliser ses affaires.

— C'est mon Picot ? demanda-t-il naïvement en contemplant la tache de gras qui amochait la toile de son lit. Elle était fraîche et aussi large qu'un poing.

— Tu sais dans quoi je dormais à ton âge ? Tu vois les sacs de riz qu'on trouve à la boutique ? On en prenait deux qu'on mettait à terre et basta, c'était fini. Le dur, ça forme le caractère.

Immobile sur son tabouret, Biram se représentait cette ville étrangère à l'extrême Sud-Est du pays. Là-bas, à Kédougou, il n'y avait ni horizon ni mer, mais des kilomètres de pistes et de collines, une cambrousse tenacement rouge où, enchaînés à leur houe, cantonnés à leur sillon bien tracé, les jeunes, indifféremment sexués, avaient un corps et des façons de vieux. À l'école, on lui avait enseigné qu'il fallait une journée de route, en partant de Mbour, pour s'y rendre. Qu'on ne parlait d'ailleurs plus de Sénégal, là-bas, mais de pays Bassari. Que deviendrait-il dans ce trou, seul avec Moktar et sous ses ordres ? Il n'avait jamais travaillé la terre. Il haïssait les moustiques, la pluie qui fait boue, la chaleur qui ne sait pas s'arrêter. La brousse, c'était bon pour les singes ou les Blancs à 4 × 4.

– Dès que je suis installé, je te fais venir.

Entre-temps, Moktar avait levé sa masse pour enfiler un bas de survêtement trop serré aux coloris de son club chouchou. Debout devant le miroir de l'armoire en bois verni, il peignait avec une brosse à dents en poils souples son filet de moustache, parfaitement taillée et parallèle à sa lèvre supérieure. S'interrompant, il se retourna vers Biram :

– Y a quoi ? T'as quelque chose à ajouter ?

Il avait haussé le ton et, bien que de dix centimètres plus petit que son neveu, le fixait comme s'il avait été un microbe. C'était grotesque ce tonton qui jouait les patrons dans une chambre à coucher où il ne dormirait pas avant longtemps, mais au moins était-ce clair : un langage que tous les êtres humains comprennent.

Biram secoua timidement la tête puis, levant les yeux vers la télévision, s'efforça de croire mordicus au speech d'une dame déguisée en hôtesse de l'air. «Nous avons en nous tout l'espace rêvé», affirmait la femme de la publicité avant de courir sur le tarmac d'un aéroport international et de s'envoler. Le ciel télé était mille fois plus bleu que celui de Mbour. Il donnait des idées : partir, disparaître.

— À présent, file! J'ai besoin de me reposer, conclut Moktar en s'avachissant sur le lit de camp. L'hystérie de Maguette l'avait épuisé, et maintenant ce mollasson de gosse qu'il lui faudrait dresser comme un chien.

Biram avait filé dans le salon. Il avait rabattu les volets des persiennes en fer puis s'était installé sur un tapis de paille, face au meuble TV dont une roulette sur quatre fonctionnait encore. Il tenait entre ses mains l'affiche de film du Champs-Élysées. Il était seul. C'était l'heure où les morveux s'instruisaient à l'école. «Un jour, j'aurai des bottes comme ça et j'irai faire la vie, comme ça!» Il lâcha l'affichette pour claquer des doigts. Se levant, il prit ensuite une grande inspiration et alla du meuble au mur, du mur au meuble TV, plusieurs fois. Derrière lui, il croyait entendre hennir et crier. «Pan

Pan!» Il abattait tous les Indiens plus les Russes plus les Chinois plus les Thaïlandais. Il remontait à cheval car c'était loin là il allait. C'était le grand dehors. Biram revint s'asseoir sur la natte et la terre rouge, rouge à perpétuité de Kédougou, lui réapparut. Il ne trouverait rien là-bas. Pas même une paire de baskets.

Sombre. Il n'existe pas d'autres termes pour qualifier le logis de Fouzia, la sœur aînée de la mère de Marème. Et il n'y a rien de curieux là-dedans car, dans une ville accotée à la mer où il est impossible d'abattre cent mètres sans avoir du sable dans ses chaussures, tout le monde sait bien qu'une maison saine, sans poussières, ni insectes, ni vent fétide, est une maison fermée, où l'on est à peu près sûr de trouver des rideaux tirés, des lumières allumées le jour, des pièces vastes mais ratatinées sur elles-mêmes, sur un cœur de fauteuils sombres et empesés qu'occupent durablement et à intervalles réguliers deux ou trois visiteurs aux desseins pas toujours très clairs. Un couloir au sol glissant desservait les principales pièces, et c'était là, au fond de cette partie la plus obscure du foyer, que s'était retranchée Marème depuis qu'elle avait eu sa mère Oumou au téléphone.

L'adolescente rongeait son frein. Ce qui, concrètement, se traduisait par un plissement vache des lèvres et deux poings sur les hanches. Car Oumou avait parlé. Tant que durerait la grève des lycées qui avait démarré après les vacances, elle demeurerait à Mbour. Sa mère s'était montrée intraitable et, avant de raccrocher, lui avait rappelé l'unique motif de son séjour : tenir compagnie à sa vieille tante alitée. Songeant à la souffrante, épilée là où il faut, fardée tous les jours au max et bedonnante de bagues, la jeune fille ronchonna. Tu parles que Fouzia était malade ! Elle était surtout lâche puisqu'affectant d'ignorer ce défilé d'hommes qui chaque soir venaient déposer ou récupérer sa fille Fatime devant sa propre maison. Retournant au chevet de sa tante, près du lit où elle était clouée, elle s'acquitta néanmoins de sa besogne et, pour la énième fois de la journée, s'enquit de sa santé.

— Toute la nuit, j'ai eu le ventre dérangé. C'est sûrement à cause du mouton du dibiteur ou de ce lait caillé que Sofiane m'a apporté hier. Il sentait bizarre, geignit Fouzia en frottant mélancoliquement sa bedaine. Une odeur âcre se dégageait de sa chair étalée. Une grimace malveillante pointait sur ses lèvres.

— Quand on est noire comme pois, on ne se met pas en plus à empoisonner les gens.

Elle détestait sa voisine Sofiane, elle détestait l'ensemble de ses voisins et cette gueuserie qui les gonflait tous au lieu de les affaiblir. Elle les comparait à un clan de crapauds panthères, cupides et voraces. Son regard s'adoucit en revenant sur les six yards de pagne que lui avait offerts sa fille. Le tissu tirait vers le rose dragée, il avait dû coûter cher car il était lourd et luisait.

— Tu n'as qu'à avaler un autre Spasfon, lui suggéra Marème en jetant un œil en direction du couloir. Sa cousine venait de se lever.

— Ah, Fatime s'est réveillée, confirma la tante avant de tirer de dessous son oreiller un chapelet et d'invoquer dix fois seulement le nom de Dieu. Pas plus parce que ce dont elle rêvait, ce qu'elle souhaitait au plus profond de son cœur, là où elle priait pour que le Seigneur n'eût jamais accès, ce n'était pas la gloire d'Allah mais la réussite de sa propre fille Fatime, sa réussite absolue à elle. Et donc, tant pis si les moyens de grimper n'étaient pas purs, ou si Fatime ne l'était plus complètement, pure. Comme les hommes du *Normandie*, avec une ardeur plus intense encore, Fouzia s'arrangeait pour mettre sur le dos de la crise tout ce qui eût pu la gêner ou peser sur sa conscience. À cette crise qu'elle appelait *notre crise*, elle avait donc attribué le diabète de feu son époux, ses querelles chroniques avec ses fils, la dépigmentation de sa peau, l'instabilité sentimentale de sa fille.

Marème écarta les rideaux de la fenêtre. Dans la cour, la robe bleue de sa cousine séchait tête en bas, une bien jolie robe que le soleil caressait du bout de ses doigts tièdes et obliques.

— Avec Fatime, on ne se parle plus trop, anticipa-t-elle pour couper court aux éventuelles questions de Fouzia sur la vie privée de sa fille.

Marème feignait d'être décontractée mais sa voix montait dans la pièce, flûtée comme celle d'une enfant. Deux jours plus tôt, cette même voix s'était faite toute petite. Après que Fatime lui eut raconté sa soirée à L'Atlas, un bar, billard, club, qu'importe, perdu sur la route de Dakar, Marème avait traité sa cousine de putain. Un *putain* si bas qu'elle avait bien été la seule à l'entendre, qu'elle avait laissé fondre lentement sous sa langue, comme un médicament ou un bonbon amer. De l'avoir gardé, néanmoins, dans sa bouche, la troublait. Que savait-elle des putains ? Que savait-elle même de l'amour, elle qui n'avait encore embrassé personne. Elle ne connaissait rien à la vie et comprenait à peine ce qu'elle lisait lorsqu'il lui arrivait de feuilleter un numéro d'*Union*, cette revue de charme que ses copines, pour jouer aux grandes, s'échangeaient dans les toilettes du lycée. Elle, se bornait généralement à regarder les photos. Son petit cœur battait devant des couples enlacés, des femmes sans vêtement, la bosse d'un sexe d'homme sous un slip. Elle déchirait les pages qui l'intéressaient et les rangeait dans un endroit secret de sa chambre. «On ne sait jamais», se disait-elle, sans s'emballer, avec la vigilance servile d'une fille à marier. Elle s'imaginait casée, mère et propriétaire, comme ces femmes richissimes des telenovelas. La vision sinistre d'une cuisse de poulet sous cellophane lui traversa brusquement l'esprit et elle ramena son attention sur le bleu de plus en plus bleu de la robe. À quoi ressemblait le mal? De quel côté fallait-il être pour ne pas rater sa vie?

Alors, Fatime lui apparut, droite dans son pantalon en lin raide, s'avançant dans la cour, puis s'arrêtant parce que son mobile carillonnait. Elle attendit la quatrième sonnerie pour décrocher et, calant l'appareil tout contre son oreille, reprit sa marche, doucement, avec cette désinvolte nonchalance où elle se complaisait chaque fois qu'il s'agissait d'une affaire d'hommes ou d'argent, avec, pour chasser les mouches et maintenir la fraîcheur de son fond de teint, des battements de mains fainéants. La voyant sourire, Marème se figura que c'était de plaisir. L'homme au bout du fil devait lui murmurer des fantaisies. Il pensait fort à elle, il avait besoin de la revoir. Fatime gloussa puis disparut derrière sa robe sèche. On ne distinguait plus d'elle que les pieds et les bracelets or-argent qui décoraient sa cheville.

– Son lait, à Sofiane, il devait pas être frais, reprit Fouzia dont le ventre, comme pour illustrer ses propos, s'entêtait à péter et à gargouiller. Se soulevant avec lourdeur sur un coude, elle tourna la tête vers la fenêtre et appela mollement Fatime qui ne réagit pas. Va chercher ta cousine. Ramène-la-moi, finit-elle par ordonner à sa nièce.

Elle n'avait rien de particulier à dire à sa fille. Elle n'avait d'ailleurs pas grand-chose en tête à cet instant, sinon du chiffon, ces cinq mètres et plus de tissus qu'elle déposerait chez son tailleur pour en obtenir une robe aussi sophistiquée que celles qu'elle contemplait tous les mois dans le magazine *Amina*. Et si, au cours des semaines à venir, elle ne pourrait s'empêcher de s'interroger sur les fréquentations de Fatime, sur ce que sa progéniture fabriquait avec autant d'hommes, à l'heure où les demoiselles de bonne famille sont endormies depuis longtemps, elle n'en éprouverait aucune répugnance. Elle se sentirait peut-être même un peu fière.

Fatime venait de regagner sa chambre lorsque Marème la trouva. Elle avait activé la fonction haut-parleur de son téléphone et s'échinait de ses deux mains désormais libres à s'attacher son quasi-kilo de postiches avec un chouchou. En bout de ligne, Mandofall, son régulier, la harcelait de questions : à quelle heure, dans quel objectif et avec qui était-elle sortie hier nuit ? Le chouchou craqua. Fatime tira aussitôt d'un sachet plastique un collant en nylon dont elle découpa au ciseau les pieds et les fesses avant de l'enrouler en spirale autour de ses cheveux.

— Ta mère demande après toi, l'avertit Marème en s'adossant au mur.

Elle hésitait à partir, avide de connaître la suite de la conversation téléphonique. Dans sa candeur et son désir obscur de moralité, elle espérait que le régulier se fâcherait pour de vrai. Elle se figurait un drame, des ultimatums, Fatime en larmes lorsque Mandofall, à son tour, la traiterait à raison de putain. Rien de tel n'arriva. L'amoureux changea simplement d'humeur. Ce soir, sitôt réparé l'alternateur de sa mobylette, il emmènerait son *bébé* boire une sucrerie. «Okay. Comme tu veux», conclut Fatime sans enthousiasme avant de raccrocher, de déboutonner sa chemisette et de s'étirer comme une chatte domestique sur son lit.

— Je suis fatiguée, frimait-elle en massant sa poitrine montée dans un soutien-gorge pigeonnant. Les hommes me fatiguent.

Marème s'assit sur le bord du lit. Elle se sentait subitement gourde, inconsistante face à cette cousine que l'expérience de l'amour charnel semblait avoir entièrement modelée. Toute l'assurance et l'énergie de Fatime lui venaient des hommes qui lui couraient après. Elle leur devait bien plus que de l'argent, au fond. Ils lui inspiraient sa conduite. Ils lui permettaient d'exercer ses charmes. Ils lui donnaient du pouvoir. « Dieu a créé l'être humain, mais ce sont les hommes qui fabriquent les femmes. En fait, nous sommes leurs créatures. » Marème se surprenait à penser de la sorte. Elle en était tour à tour incommodée et émoustillée.

— Mandofall, il t'aime comment?

Elle s'était rapprochée de sa cousine et contemplait en frissonnant sa gorge, ses lèvres, ses seins. Fatime était une femme, vraiment.

— Avec Mandofall, on s'entend. Il est gentil. Mais la gentillesse, c'est pas ça qui fait vivre.

— Alors tu préfères les autres?

Les autres, c'étaient les Blancs, ces hommes qui, après avoir « fatigué » sa grande cousine, la raccompagnaient tard dans la nuit. Marème avait quelques fois entrevu leur visage : de vieux types derrière un volant de voiture.

Fatime ne répondit pas tout de suite. Elle s'était déjà levée pour brancher un fer à vapeur.

— Ceux-là, c'est juste des occasions. Elle attrapa un string. Le top, c'est les trois C. Tu connais?

Marème rougit.

— Le *Chic* te sort, le *Chèque* finance ta beauté et le *Choc*, il te… Il te chose quoi.

Le frôlement délicieux du fer sur la lingerie achevait d'apaiser le cœur inquiet de Marème. Elle avait fermé les yeux et gambergeait. À quoi bon pratiquer la vertu et s'empêtrer de morale ? Il valait mieux, à choisir, se trouver de ce côté-là de la vie. Là où le bonheur était aussi simple à porter qu'une robe bleue. Elle entendit sa tante l'appeler de sa voix dure et découragée de femme mûre, et elle comprit que c'était maintenant, maintenant la vie, maintenant les vacances.

Plus tard, serrée dans un jean blanc et ses nattes ramassées en queue-de-cheval, Marème longeait la plage. Fatime et Mandofall marchaient devant. La nuit de Mbour était douce et claire. Elle regardait la main du garçon patiner l'épaule de sa cousine. Et celle-là, sa cousine continuait de rouler des fesses, avec la même apathie qu'elle mastiquait son malabar. « Il est fou d'elle », songea Marème en s'essayant, à son tour, à chalouper.

Ils atteignirent le snack de Chérif où sept clients, bloqués devant un modèle de radio des années 80, étaient en train de suivre l'interview d'un participant du rallye. Deux semaines avaient passé depuis que Diabang avait lancé sa pétition contre la course. On n'était plus qu'à une dizaine de jours de l'arrivée des champions dans la ville. «C'était sous le moteur qu'on entendait cogner, expliquait l'automobiliste dans le poste. Alors on s'est arrêté et on a vu que c'était la boîte de transfert qui tapait sur la tôle. J'ai retiré tout le sable et les pierres qui se trouvaient dessus, et j'ai desserré la tôle, pour laisser plus de place sous le moteur, là c'était jouable. On repart et puis vers Kayes, ça redéconne. Plus on avance, plus y a des trous. Des trous, mon vieux, comme des cratères! À un moment, y en a eu un qu'on a vu qu'au dernier moment. Et du coup, la Jeep elle est partie en casquette avant. Cinq tonneaux, on a fait.»

Les auditeurs du *Normandie* approuvèrent de la tête puis soupirèrent parce que le chauffeur venait de craquer : «... a lâché son eau et il a fallu souder. Alors on a réparé. C'était jouable mais la courroie a pas t'nu et fallait y aller mollo. Houache m'a dit qu'on allait rouler la nuit, j'ai dit go, c'était jouable. Seulement, il s'est mis à tomber des cordes, et comme le pare-brise était pété... À un moment, y a eu les feux d'une voiture juste devant nous et Houache m'a dit que c'était sûrement la Honda de Debras... Un grand boum sous la caisse, et donc c'est mon bras qui a tout pris. J'voyais du sang partout. La nuit, ça vous fout une trouille bleue.»

— C'est self-service ou bien? cria Fatime en

apercevant Biram inoccupé derrière son comptoir de piscine.

– Ça vient, répondit l'employé tout en se demandant ce qu'il raconterait à Marème.

À La Signare, où elle était revenue deux fois depuis leur premier bain de mer, ils avaient fait l'amitié et peut-être même, car on ne sait jamais avec les filles, commencé à flirter. Mais elle avait disparu. Il n'en avait plus entendu parler et en avait déduit qu'elle était rentrée à Dakar. Il se raisonna : « Elle est là. Et alors ? Tu t'en fiches. Tu restes poli et tu fais ton job. »

Il se rapprocha de la table des cousines et encaissa la main molle et le *ça va* flegmatique de Marème. Elle ne manifesta pas davantage d'émotion lorsqu'il l'informa du projet de son oncle de l'expédier en pleine brousse. N'ayant aucun parent là-bas, elle n'avait rien à en dire. Elle avait faim et se limita à passer commande.

– Ça vous coûtera trois mille trente francs CFA, annonça sans fla-fla Biram avant de déposer sur la table le pain fourré et les sodas.

Son argent empoché, il revint se poster au bar et s'efforça d'oublier cette Marème dont la figure s'enfonçait dans son crâne comme un clou. Il en était gêné et il se demanda si cela se voyait, un garçon obsédé par une fille, si cela faisait rire comme la braguette ouverte d'un pantalon de costard.

Ses lèvres tremblèrent, mais il se domina : qu'avait-il à s'embéguiner d'une gamine bizarre ? Non. Pas bizarre, mais fragile, incapable de dire oui quand elle pensait oui. Du genre aimant, n'aimant plus, aimant. Après réflexion, Biram considérait que c'était Marème, le problème. Elle s'était entichée de lui. Elle l'avait vampé et c'est involontairement qu'il était tombé sous son charme. « Qu'est-ce qui m'arrive ? » Ce qu'il ressentait l'effrayait. C'était plus fort que tout ce qu'il avait éprouvé jusqu'alors. Ça dépassait la honte, l'accablement et la colère. Ça pouvait rendre gai ou mélancolique.

— Tu es avec nous ou tu roules pour eux ?

Les doigts croisés sur son ventre, Diabang s'était planté devant Biram :

— Quarante-cinq personnes ont déjà signé. Quarante-cinq Sénégalais et amis du Sénégal se lèveront pour défendre notre dignité. Nous les attendons, ces conquistadors de la vieille Europe. Nous allons manifester contre leur course et leur montrer que nous ne sommes ni *des ours qui dansent* ni *des hommes qui pleurent*.

Une telle pugnacité à la veille de l'arrivée du rallye, alors que la messe était dite, paraissait à Biram aberrante. *C'est de la prétention*, songeait-il en se rappelant la piaule miteuse de l'infirme et l'énergie exagérée qu'il déployait chaque jour pour survivre.

Comment pouvait-on parler de révolution en fauteuil roulant?

— Tu viendras manifester avec nous?

— Est-ce que j'ai le choix? Qui va s'occuper de la buvette si je viens? fit Biram en glissant ses mains dans ses poches. Un poltron, c'est ce qu'il lisait dans le regard perçant du vieux. Et le plus fort, c'est qu'il se moquait bien de passer pour un pleutre devant un handicapé.

— Prends garde, monsieur le gosse, à ce que la pupille de tes yeux ne devienne encore plus sale que ton ventre. Tu peux choisir d'être Homo Sapiens, Homo Barbarus, Homo Politico-Economicus, Homo Resignatus, Homo ONGus, Homo Canus, Homo Jesus, même! Il existe plusieurs couloirs de circulation quand tu es un homme, mais réfléchis bien à ce que tu fais, car chaque voie est à sens unique.

— On verra bien, fit Biram en forçant le couvercle du pot de Choco Lion. Il lui restait des miches à tartiner.

Diabang s'en alla. Il n'était plus qu'une masse branlante et un grincement discordant de roue sur le sable lorsque le garçon osa relever la tête. «Bof… Tout ça, ça sert à rien d'abord», soupira-t-il en détachant son regard de la silhouette du professeur. «Et même si je venais, qu'est-ce ça changerait? Ce rallye c'est rien, c'est d'la ferraille, que des bagnoles en acier. »

Attroupés devant la radio, les clients du *Normandie* ne se lassaient pas de s'émerveiller de cette *ferraille*. Ils remuaient la tête et se frottaient les mains chaque fois que le coureur et le commentateur évoquaient le nom d'une voiture et lâchèrent un *hum* unanime d'éblouissement lorsque l'un des hommes s'exclama « un char dans la peau d'une rolls » pour décrire les chromes, les boiseries et le moteur six cylindres de la CJ8 Scrambler. Ils reculèrent d'un mètre lorsque le poste se mit à fumer et à répandre une odeur de mauvais augure.

— Ça, c'est la malchance, décréta l'un d'entre eux en s'approchant de l'engin désormais muet que Biram avait remisé sous le comptoir. Mais, c'est pas mort, ça peut se réparer. C'est jouable, c'est jouable.

L'homme insistait et, en dépit des apparences, de sa typique gueule de nègre à cure-dent, il rappelait le coéquipier de Houache, le jargon, l'intonation… Pareil.

Biram haussa les épaules. Il n'avait pas d'opinion. Il n'y connaissait rien en mécanique.

— La mécanique, c'est un problème universel, répliqua l'homme. Où que t'ailles, il y a quelque chose à réparer.

— Ouais, mais si c'est mort, c'est mort.

— Tu préfères jeter ?

— Je préfère rien du tout.

Biram empoigna la radio pour la ranger dans le container. Il se méfiait des conversations de vingt-deux heures. Les gens parlaient, les heures défilaient et on se retrouvait le matin, dans une lumière cradingue de chambre, à compter les cinq moutons qui restaient parce que les autres étaient déjà repartis brouter. Sa vaisselle lavée, il s'assit sur son tabouret et sortit de sa poche la bille bleue et verte trouvée place des Neem. Elle ne lui avait pas porté chance, pas encore. Peut-être parce qu'il fallait la faire tourner, vite, de plus en plus vite, jusqu'à ce que le calot change de couleur, jusqu'à ne plus sentir son pouce. Quand il cessa de jouer, il nota que Marème n'était plus là.

Quelques jours s'étaient écoulés, Marème était allongée sur le ventre. Elle était en train de rêver et marmonnait des bribes d'un monologue absurde. Bien que la veille elle se fût couchée tôt, elle n'avait réussi à s'endormir qu'à l'aurore. Elle avait passé la nuit à changer d'avis. Elle s'était réjouie, puis lamentée avant de se convaincre qu'elle n'était pas à plaindre. Que cette grève des lycées avait été un mal pour un bien puisqu'elle lui avait permis de vivre des expériences et de s'attirer de nouvelles amitiés. Marème avait pensé à Biram, trop calmement pour en retirer ce *choc* que lui avait décrit Fatime mais avec attendrissement. Il avait une façon particulière de la regarder lorsqu'il lui parlait. Il perdait ses moyens, il devenait nerveux. Il l'amusait.

« Laissez-moi ! » cria-t-elle tout à coup à la horde

de matous qui la talonnaient. Elle enjambait une barrière, courait à travers bois et débouchait dans la rue d'une ville qu'elle ne reconnaissait pas. Tout était plus moderne, plus gros qu'à Dakar. Tout était net. La nuit tombait et le feu des lampadaires lui cuisait les yeux. Dans son sommeil, elle entendit sonner un portable, le pas inquisiteur de sa tante dans le couloir, avant le retour des chats sauvages.

Elle ouvrit les paupières et les pièces de la maison de Fouzia lui parurent pour une fois claires et grandes. Après une rapide toilette, elle affronta la lumière du jour et s'engagea prudemment dans l'allée trouée de nids-de-poule qui conduisait à la grande plage où l'on fêtait la fin de la course. Elle faisait doucement. Elle n'était pas pressée d'arriver. Elle n'était ni rallye, ni football, ni lutte sénégalaise. Elle y allait parce que tout le monde y serait. Et quand on dit monde, c'est monde : l'Afrique plus l'Europe, Paris plus Dakar.

Elle se sentait cotonneuse et regretta de n'avoir rien mangé avant de sortir. On ne marche pas sous le soleil le ventre vide, lui rabâchait continuellement sa mère dont le bon sens, autant que la droiture, lui avait toujours paru aller de soi. Ces derniers temps cependant, elle s'était mise à douter de sa mère. Elle ne la croyait plus lorsqu'elle prétendait que c'était à cause des grèves et de la santé de Fouzia qu'elle la tenait éloignée de Dakar. Elle

n'était plus tout à fait sûre non plus de l'impec-
cabilité de sa vie, de ses journées soi-disant bien
remplies parce qu'elle y mettait des mariages, des
baptêmes, des *tadieu bone* et des rendez-vous chez
le tailleur. Et ce qu'elle s'était toujours interdit,
concevoir son parent nu, ce qui valut à Canaam
d'être maudit, elle se l'autorisa. Dans cette rue
accidentée à s'en démonter la cheville, elle songea
à la nudité de sa mère, au sexe marié de sa mère
qui, alors, lui sembla si sec. Avait-il son content
d'amour? Sentait-il comme celui de Fatime, cette
odeur de bête qui vous prenait à la gorge jusqu'au
fond du couloir? Non. Le sexe de sa bonne mère
Oumou ne connaissait que le gel moussant. Il était
aride et avait refusé de lui donner d'autres enfants.
Marème était fille unique.

Elle n'eut pas le temps de distinguer la couleur
du bolide qui lui coupa la route. L'engin était passé
à moins d'un mètre d'elle avant de s'éclipser. «Ce
salaud, il a failli me mettre en morceaux», se plaignit-elle auprès de la naine aux jambes torses qui
avait bondi de son stand pour maudire le chauf-
fard. C'était une marchande de fripes venues
d'Europe. Glanés dans différents dépôts, stockés
dans des balles et expédiés en Afrique, la plupart de
ces vêtements, même une fois dépliés, paraissaient
des guenilles délavées. Dans certains quartiers, à
Dakar, ils envahissaient la rue jusqu'à l'empuantir.

L'odeur de cave qu'ils dégageaient était franchement écœurante mais la population avait fini par s'y accoutumer.

De retour derrière son stand de frusques, la fripière *fracassait* les prix. 3 000, pour un pantalon à pattes d'éléphant élimé aux genoux. 2 000, la veste Mao de Paris sans sa doublure. 5 00 la casquette tout avachie. À débattre.

Marème tordit la bouche. «Si nous, on leur donnait nos pagnes usés, aux Blanches, vous croyez qu'elles les mettraient?» Alors elle se mit à râler contre tous ces étrangers qui s'accaparaient les rues et les trottoirs du pays. À fustiger leur mépris, leur impudence, leur désinvolture, et cætera. Elle s'échauffait comme une petite fille. Mais elle n'était pas une révoltée de l'histoire. Ce qui la contrariait en vérité, c'était d'avoir pensé aussi crûment à sa mère. Elle redoutait d'avoir à payer cette impiété. «Pardon pardon pardon pardon pardon pardon pardon pardon pardon pardon pardon», balbutia-t-elle tandis qu'elle s'éloignait du stand. Elle implora de nouveau Son pardon en songeant à ce bolide tombé du ciel comme un avertissement.

Je suis assis et je mesure un 1,87 mètre. C'était la chute de la blague de Gora Diawara. Depuis midi, ce présentateur vedette de la télévision Nationale sénégalaise avait été engagé par les organisateurs du rallye pour chauffer le public. Flanqué d'une paire de journalistes sportifs blancs et d'un micro qu'il semblait être constamment près d'avaler, il racontait pour la troisième fois consécutive l'histoire d'Abdulaye, le pilote qui, sur le point d'atterrir sur la piste de Ziguinchor, donne à la tour de contrôle sa position : *Je suis assis et je mesure...*

«Merci Gora, merci Mbour, Nangadef le Sénégal!» le coupa un homme violine en treillis tout en faisant signe à l'ingénieur du son d'envoyer la musique. Les enceintes bourdonnèrent. Les premières notes d'un tube démagogique de Tiken Jah

Fakoli fusèrent avant de s'essouffler. «Est-ce que ça va?» enchaîna l'animateur en saluant d'une main craintive la chiée de jeunes Sénégalais entassés aux premiers rangs. Puis il déplia une liste où figuraient les noms des principaux sponsors et invita les vainqueurs dans les catégories moto, auto et camion à rejoindre le podium. «Un défi pour ceux qui partent, du rêve pour ceux qui restent!» piaula en boucle une voix tandis que, perdue dans la foule, Marème se hissait sur la pointe des pieds pour découvrir l'estrade. Elle était curieuse de voir la fille du président Wade, dont le nom venait d'être cité. «Dix mille kilomètres de piste, ce n'est pas rien», commença l'un des journalistes en contemplant avec une débonnaireté bovine les cernes, le bouc de vingt jours et les rangers crottés de boue et de bouse de bête du motard Desprès. Une minute de silence s'écoula, puis le champion débita ses mémoires : «Plus on en bave, plus on est content… Ça fait des souvenirs… Au début, c'était autoroute… La nuit, on était morts.»

Le public siffla. La fille du président venait d'apparaître, moins architecturale que dans les magazines, les cheveux cassants et la poitrine rabougrie. Après un serré de mains glacé aux pilotes et la distribution des trophées, l'héritière mit ses mains dans ses poches et prononça une allocution à la gloire du pays et des Sénégalais.

« C'est à cause du vieux, le retard du Sénégal »,
protesta immédiatement un étudiant myope égaré
dans un anorak à épaulettes : «*Xoolal!* Notre retard,
c'est lui, parce qu'il aime trop les millions. Alors
que pour nous, tous les jours, c'est charbon-salade.
Toi, là, demande à ton père c'est quand il va arrêter
de tout bouffer. S'il est assis, c'est parce que c'est
nous qui lui avons donné un fauteuil. » Mais La
Wade avait démissionné et laissé son micro à un
pilote expressif, lequel pipelet, *avec le recul*, regrettait le goût des huîtres à Arles et n'avait jamais
bouffé autant de poussière, *putain*, qu'à Zarouat.
Zouerat, il rectifia tandis que des images ratées de
la course vue du ciel défilaient sur un écran, et que
Marème tentait de s'arracher à la foule. Ce qui
allait lui prendre un certain temps.

À quelques mètres du podium, une rangée de
piquets marquait la frontière entre deux mondes.
D'un côté, la zone de repos des pilotes. De
l'autre, des piaillements de gosses, une centaine de
gamins que se figuraient impressionner un ramas
de policiers avec leurs matraques et leurs talkies-
walkies fichés à leurs ceinturons. Mais, vraiment,
les enfants s'en moquaient. Agglutinés derrière la
barricade, ils continuaient de gouailler les coureurs,
Machacek, Savostin, Coma, Houache, jusqu'à ce
que deux pilotes se fussent approchés de la clôture

pour distribuer les bonbons en couleurs et les bics Toyota qui alourdissaient leurs poches. Il s'agissait de l'équipage *Quad* Richet-Leborgne, une paire de maigrelets au nez pointu, venus de Saint-Quentin France, et arrivés derniers dans le classement général.

« Cigarettes ! » réclama un gamin. « Tes chaussures, file-moi tes chaussures ! » enchérit un autre qui s'esclaffa en voyant à quel point les héros rougissaient vite. « Avec quoi je vais rentrer chez moi si je te les donne ? » tenta Leborgne avec une grimace dont se payèrent naturellement les jeunes. Puis un agent intervint : « Dégagez ! Laissez tranquilles les champions ! » avant de s'adresser aux gars du Nord, avec une fausse décontraction : « Si j'étais vous, je rangerais mes babioles et je bougerais pas de ma tente. »

A priori anodine, cette admonition contenait toutes les contradictions du flic : sa haine et sa fascination du Blanc, son attachement aux siens et son dégoût d'eux, ce mélange de honte, d'orgueil et de colère à exercer sa fonction d'employé à la sécurité, à garder le chapiteau des hommes blancs. Tous ces sentiments se mélangeaient dans sa tête et se déployaient de manière incohérente. Si bien que l'agent n'était juste avec personne. Ni avec les pilotes, ni avec les enfants, et encore moins vis-à-vis de lui-même. Pour finir, il cracha dans son sifflet et, s'échappant des deux mondes, agita son bras dans une direction impossible à identifier.

Peut-être lorgnait-il vers ces trois cents mètres carrés et plus de plage, envahis, depuis ce matin, par une tapée de stands aux odeurs de fioul et de friture accélérée, un espace commercial éphémère, en somme, où se croisaient Européens et Sénégalais.

Dans la file d'attente démesurément longue qu'elle venait de rejoindre pour acheter à manger, Marème regardait autour d'elle. *Paris-Dakar, un rêve pour ceux qui restent.* Et elle, commençait à y croire tant Mbour semblait tirer profit de l'arrivée du rallye. Tout était à vendre et tout coûtait bonbon : friandises, djembé, pagnes et bijoux traditionnels, mais aussi pin's, T-shirts, gilets multi-poches, pack casquettes-sweat-couteau aux couleurs ou dans l'esprit de la course. Comme sur le grand marché de Dakar, les vendeurs rusaient pour écouler leur barda. «Toi, tu es la déesse du ventilateur, tu es une vraie Africaine», répétait sans s'interrompre un tailleur peigné comme un rasta sorti de rivière. C'était automatique : les touristes blanches s'attroupaient devant son stand et, après avoir gaspillé leur argent de poche, confiaient au cavaleur leur numéro de téléphone.

Marème baissa les yeux. Qu'un Blanc s'entichât d'une Africaine lui paraissait à peu près normal, banal. Mais le spectacle d'une Blanche se jetant à la tête d'un Noir l'intriguait. Pas *choquait*, intriguait. Comme un cas de figure exotique dans un système de relations déjà complexe. La jeune fille se trompait. Au Sénégal, ces couples-là se *produisaient* officiellement depuis l'époque des pantalons à pattes. Des siècles que les présidents locaux fabriquaient des métis.

Marème avait renoncé à faire la queue, fui la touffeur accablante du bazar et s'acheminait à présent vers *Le Normandie*. Elle s'installerait bientôt sur une chaise face à la mer, boirait sa sucrerie et se régalerait d'un sardine-beurre. Le soleil aurait molli. Elle retirerait ses claquettes. Elle se mettrait à l'aise au lieu de se casser les reins à déambuler au milieu d'une masse hurlante. Elle marchait sur le bitume pour atteindre le snack plus vite et distinguait déjà l'athlétique mât et son drapeau effrangé. Dans quelques secondes, elle apercevrait le container, la grappe de clients et de sièges immobiles, le bar à moitié branlant derrière lequel se tiendrait Biram.

Elle reconnut le container et fut surprise de découvrir la buvette entièrement rénovée. Des transats, des chaises et des tables de jardin tout neufs meublaient l'espace. Le comptoir de piscine avait été remplacé par une véritable kitchenette d'où coulaient à présent des odeurs de grillades. Le plus spectaculaire, c'était ces larges parasols au-dessus des tables quasiment toutes occupées par des étrangers. Ils étaient bleus avec une figure imprimée dessus, cette indémodable gueule de routard en turban qui incarnait, depuis 1977, l'esprit d'aventure du Rallye.

«Du moment que je suis propre», songea Marème en jetant un coup d'œil indulgent à sa vêture d'adolescente et en s'engageant, d'un pas qu'elle eût souhaité plus naturel, vers la cuisine où elle venait de remarquer Biram. Comme toutes les jeunes filles impressionnables et fières, Marème s'imaginait que tous les regards étaient tournés vers elle.

Biram n'était pas seul en cuisine. Il se chamaillait avec un jeune homme plus âgé que lui qui lui reprochait de n'avoir pas respecté les instructions qu'il s'était pourtant *tué*, le gars insistait, *tué* à lui donner : «*Trois* morceaux de poulet par brochette, et pas *deux*.» Les deux décolérèrent provisoirement pour répondre au bonjour de Marème. Le grand s'appelait Libasse, neveu de Chérif et «vice-gérant du *Normandy-Lounge*». Il avait *dealé* avec un *boss du département com'* du rallye pour *redesigner* la buvette. En conséquence, il était *bizi-bizi*, sentait l'aftershave et portait des bretelles avec son pantalon à pinces blanc. Il s'excusa auprès de la jeune fille mais il devait retourner *right now* en terrasse accueillir ses clients.

Biram haussa les épaules. Il ne comprenait rien au profil psychologique de Libasse. Il ne comprenait rien non plus au look Libasse, à son pantalon à pinces d'étudiant gabonais, à son téléphone équipé d'applications aussi superflues que celle qui comptabilisait le nombre de pas effectués dans une journée. Comment ce charlot s'y était-il pris pour lui voler sa place? Pourquoi avait-il soudain l'impression que la terre était peuplée de Libasse, prêts à tuer père, mère et oncle mourant pour posséder ça? Il considéra le décor qui l'entourait. Il n'y avait que du faux et du jetable, rien qui valût la peine de se battre. Il s'attarda enfin sur Marème. Elle était adossée contre l'un des quatre murs modulaires et, à ses pieds, il y avait Oumar, l'aîné de Maguette, qui ronflait.

— Tu as faim? lui demanda-t-il en découvrant un plat de brochettes.

Marème s'approcha. Ses lèvres, c'est du moins ce que voyait le garçon, étaient luisantes comme dans un film d'adultes. Ses seins pointaient sous son débardeur fleuri.

— Alors on fait un marché, proposa Biram à l'adolescente, en reposant le couvercle sur la viande. Tu m'aides à faire le service et je te paie en brochettes. Quatre brochettes l'heure si tu bosses deux heures. Parce que celui-là (il parlait d'Oumar, le morveux de huit ans), c'est un inutile. Il est venu, il a mangé et maintenant il dort comme un ministre.

Les filles qui n'ont pas encore dormi avec les hommes aiment les jeux simples des garçons. Elles grimpent aux arbres, elles mettent du *doudou* de sable dans leur culotte en coton, elles torturent les mouches en les séquestrant dans un tiroir ou une poche en plastique, elles se font des bleus quand elles reviennent de l'école, elles ont un trou dans leurs chaussettes, elles ont de l'encre au bout des doigts, elles sont chiches de se battre si on les traite de sorcières, elles savent gagner des courses, chanter à tue-tête «1, 2, 3 soleil» et répondre «Banco!» quand un garçon qu'elles aiment bien leur soumet un défi qui les excite. C'est après qu'elles font attention. Quand elles éprouvent la peur et la ruse. Alors leurs jambes cessent de courir pour porter des bas, du vernis et des talons. Leurs mains ne caressent plus jamais le sable. Et ce qu'elles chantent est triste.

Parce que Marème était encore fille, elle avait accepté de bon cœur le marché de Biram. Elle avait ingéré d'un seul coup ses huit brochettes puis travaillé deux heures de suite au *Normandy-Lounge*. Elle finissait son service lorsque le régulier de Fatime débarqua, greffé d'un étranger aux joues boucanées et plutôt court de taille.

– Ce *Grand monsieur*, c'est mon gars, mon bon copain même, prétendit Mandofall en s'allumant une Marlboro sans filtre et en tapant dans le dos du Blanc. Il s'appelle Sacha. Sacha, je te présente la petite cousine de Fatime, Marème. Marème, Sacha.

– Alexandre, ça marche aussi, ajouta le Français qui s'était avancé pour faire la bise à la Sénégalaise, *sympathiser*. En juin dernier, à l'occasion d'un festival, il avait rencontré Mandofall, «*Man*» à Pikine. De retour à Paris, il lui avait envoyé un portable, des porte-clefs et un *best of* de ses émissions de radio. Sacha était journaliste depuis dix ans.

– On peut se tutoyer? Tu connais RFI? Tu connais Juan Gomez? Eh bien mon émission, elle est juste après la sienne. Ça s'appelle Tam-T'M l'Afrique.

Il retroussa les manches de sa chemise en jean, d'un X de trop, mais probablement la seule, dans sa garde-robe limitée de journaliste d'aventures, à dissimuler son peu d'épaules et son embonpoint indiscutable de pré-quinquagénaire.

– Donc, vous êtes ici pour la course?

Marème ne se résolvait pas à le tutoyer.

– Ouais, enfin, c'est plus compliqué que ça. En fait, je suis là pour le *off*. Tout ce qui s'passe à côté du rallye, je couvre. Par exemple, les jeunes. À quoi ils rêvent, qu'est-ce qu'ils veulent, comment ils se fringuent, qu'est-ce qu'ils consomment, est-ce qu'ils croient en Dieu, est-ce qu'ils y croient plus, c'est quoi les marques qu'ils portent… Ça, ça me branche, tu vois?

Elle répondit qu'elle comprenait, mais il ne l'écoutait pas. Il regardait vers la plage, vers cet homme qui longeait la mer en fauteuil roulant entouré d'une quarantaine d'individus et de banderoles. «Ya quoi?» fit Mandofall en voyant Sacha détaler, son vieux magnétophone Nagra sous le bras. Il courait en direction du cortège et l'atteignit au moment où Diabang, un papier à la main, discourait dans le porte-voix : «… sur la liaison Tombouctou et Nampala, un enfant est fauché par un Range Rover. Tué sur le coup.»

Alexandre Sacha infiltrait le groupe des manifestants, son micro pointé vers le dentier du professeur : «En 1998, alors qu'ils s'apprêtaient à traverser la route, une maman et son bébé sont percutés par un camion. Il n'y aura, bien entendu, aucun survivant. La même année, à un rond-point situé juste à la sortie de Nouakchott, une fillette est écrasée par une moto. En 1999, un gendarme burkinabé décède suite à une collision. L'année suivante, à 160 kilomètres de Dakar, une fillette de cinq ans est heurtée par un camion et le lendemain, à la sortie de Tabacounda, le petit Mohamed Ndaw est blessé à mort par un autre camion. Alors vous savez, ce que nous disons maintenant est très simple : *Les aventuriers du pétrole ne sont pas nos amis! Assassiner des enfants n'est pas un sport.*»

Le soleil avait roulé derrière les nuages. Des chiens traînaient sur la grève tandis que les signataires de la pétition reprenaient : «*À bas le rodéo, À mort ASO, Non aux nouveaux négriers!*». «Ce rallye est un non-sens écologique», s'émouvait une militante aux cheveux qui fourchaient et en claquettes Scholl. Membre du Conseil régional d'Auvergne et trésorière de l'association *L'Afrique en danger*, elle *connaissait les dossiers* et s'appuyait, pour le prouver, sur une série de chiffres.

— Elle nous barbe, celle-là, avec ces histoires de CO_2 et de *facture écologique*. À ce tarif-là, on n'a qu'à interdire les avions en Afrique, maugréa Mandofall qui avait rejoint Sacha sur la plage.

— Elle a raison, Man. Tu sais combien de litres d'essence, elles consomment toutes ces bagnoles? Il faut arrêter de prendre l'Afrique pour un terrain de récréation.

Mandofall ne broncha pas. Il se borna à observer les trois policiers bien outillés qui venaient d'arriver. Ils avaient dégainé sifflet et matraque pour rétablir l'ordre.

— Quel ordre? De quoi parlez-vous? riposta Diabang. Même au Sénégal, la loi est la loi. En tant que citoyens de ce pays, nous avons parfaitement le droit de manifester notre mécontentement. Osez seulement toucher à un seul de nos orteils et vous verrez ce qu'il vous en cuira. *Car la vie n'est pas un spectacle/Car une mer de douleur n'est pas un prosce-nium/Car un homme qui crie n'est pas un ours qui danse !*

Césaire n'eut aucun effet sur les agents. Ils rangèrent Diabang et son fauteuil dans un coin puis revinrent s'occuper des autres manifestants. «Cette situation est dégradante et va à l'encontre des droits de l'homme», s'insurgèrent l'Auvergnate et quelques humanitaires chaussés eux aussi de mules réglables Scholl. «On ne pourra pas conti-nuer indéfiniment à se mettre la tête sous le sable. Vous devez nous aider à lutter contre cette nouvelle forme de colonialisme. Il faut sensibiliser ceux qui vous gouvernent. Les chefs d'État africains ont leur mot à dire.» «Madame, faut circuler maintenant», lui ordonna l'un des agents après lui avoir confis-qué son porte-voix. Alors, les banderoles s'incli-nèrent. Le journaliste débrancha son micro. Il ne resta plus sur la plage que Diabang et les chiens.

On aurait pu penser d'ailleurs que cette mani-festation n'avait jamais eu lieu, vu l'indolence avec laquelle les dîneurs du *Normandy-Lounge,* Sénégalais tout comme étrangers, évoquaient ce putsch loupé, la bouche pleine et leurs fesses emboîtées dans leur chaise en toile, vu le flegme, le fatalisme, avec lequel certains d'entre eux sou-piraient : «C'est l'aventure» ou bien «C'est l'Afrique». Cela faisait sourire tous les autres, à commencer par Libasse, dont les pouces, quand il ne se les tournait pas, s'accrochaient aux bretelles à motifs de son pantalon, ou se levaient vers un client pour signifier «Bravo». Pas *bravo le client*, non. Mais *bravo Libasse* pour avoir su convaincre un homme aussi pingre et retors que son oncle de lui céder la gérance de son affaire.

Libasse visait haut et croyait aux cinq principes de vie du consommateur moyen de l'an 2000 : conduire un 4×4 climatisé, promener un caddie dans les allées d'un supermarché, organiser des grillades-party de midi à minuit, passer le permis bateau, fêter ses anniversaires au Moët et Chandon brut Impérial. Il ouvrit son portefeuille pour y glisser une liasse de billets. En trois jours, la buvette de l'oncle lui avait rapporté 60 420 FCFA. Il se frottait les mains. Ce soir, il visait le million car les étrangers continuaient d'affluer.

Sur la terrasse où se répandait maintenant l'énergie des coureurs, Marème était assise à la table de Sacha. Le Français descendait des bières Gazelle, Fatime et Mandofall se partageaient un poulet-frites, les trois ricassaient cependant que l'adolescente surveillait les sportifs. Elle voyait leurs joues et leurs épaules remuer vite. Elle percevait ce feu dans leurs yeux et pensait : «Ils sont du même nerf. Ils sont à fleur de peau», sans comprendre ce blues qui les envahissait tous parce que l'aventure se terminait. Oh, ce ne serait pas seulement la course que les automobilistes regretteraient. Eux aussi se souviendraient des moments *off*, tout ce que de se retrouver entre hommes pendant plusieurs semaines procure. Ils étaient nostalgiques et, dans cette buvette de bord de mer, la dernière, sur leur route, avant leur retour au foyer, ils rêvaient encore d'être ronds et gredins : chantonner une chanson grivoise, corner une fille qui passe… Ils parlaient librement. Ils se racontaient leurs histoires de bonshommes et leurs mots montaient à la tête de la Dakaroise comme à l'ouverture d'un flacon de dissolvant pour ongles.

– Ohé camarade ! Ramène-toi, on est là.

Marème se tourna vers le gaillard blond à houppette que Sacha avait interpellé. Elle le dévisagea tandis qu'il s'attablait avec son matériel, et s'avoua ce que certaines Noires pensent lorsqu'elles se retrouvent face à un Européen propre, bien bâti, en tee-shirt uni et en pantalon droit porté avec ceinture : pour un Blanc, il se tient.

– Lui, il a du bol ! fit Sacha en embouchant sa troisième bière et en couvant d'un regard ambigu son collègue occupé à écurer les jacks de son microphone. À vingt et un ans, décrocher un CDI à Radio France, moi je dis : chapeau ! Jonas, c'est un chef. Moi, c'est une autre histoire. J'suis pas un gagneur. Désolé ! J'suis pas monté comme ça.

Il absorba en de longs traits le dernier tiers de sa Gazelle. À quoi bon se confesser ? Qui aurait pu le comprendre parmi ces mômes à qui il offrait à manger et des porte-clefs ? Qui s'intéressait sincèrement à lui ? *Grand monsieur*, c'est ainsi que tous avaient fini par le présenter. Mais, dans son dos, quel était le surnom dont ils l'avaient crédité ? Comment appelait-on ces Blancs dont il faisait lui-même partie, qui, aussitôt arrivés en Afrique, blaguaient, draguaient, palabraient, roulaient, négociaient comme des Africains ? Et ces autres qui, ayant acquis un terrain et une locale, ne retourneraient que les pieds devant dans leur patelin natal ? Le journaliste déglutit. Il avait tort de se biler puisqu'ici, rien n'était vraiment un problème : ni son poids, ni son âge, ni son statut professionnel, jugé précaire en Europe. Aucun compte à rendre, une *paix royale*. Il tendit sa bouteille vide à Jonas.

— Allez, on remet ça !

Marème posa son regard sur un commando de fourmis qui ascensionnaient le piquet du parasol. Cela faisait sans doute beau temps qu'elles marchaient et continueraient de grimper, qu'on les chassât, qu'il tombât des cordes ou que le parapluie se refermât. Une telle rigueur et un tel entêtement n'existaient pas chez les humains. Les hommes naissaient dans le chaos, s'enflammaient ou bien tombaient pour des broutilles. Ils passaient leur vie à galoper dans tous les sens. Dans le cas de Marème, il avait suffi de l'apparition d'un garçon un peu plus coquet et séduisant que les autres pour qu'elle perdît contenance, et la voilà qui interprétait les signes que seules les filles remarquent : il lui avait semblé que Jonas l'avait regardée droit dans les yeux et lui avait serré la main avec une insistance particulière.

– Vous êtes d'ici ? Il lui avait parlé.

Avant de répondre, elle porta son verre à ses lèvres. Et, comme à l'école, déclina l'adresse complète du domicile de ses parents. Le journaliste secoua la tête, il ne connaissait pas le Point E. Il n'avait passé que deux nuits à Dakar, dans un hôtel tout jaune au nom d'oiseau.

– Un hôtel à putes, ajouta Sacha. Toute la nuit, ça a défilé. On entendait tout.

Mandofall pouffa, Fatime roucoula :

– C'est l'amour qui passe.

– Pas chez tout le monde.

Sacha se lamenta de ne pas plaire aux Sénégalaises, ou plutôt de n'être pas assez macho pour être pris au sérieux. Ses petites épaules rondes s'étaient abaissées et, sous l'effet de l'alcool, il ne parvenait plus à suivre la conversation, s'interrogeait sur les noms et confondait les personnes. C'était qui, c'était quoi ce *super tieb* dont parlait Fatime ?

«C'est qui Fouzia?» «C'est où le Point E?» «C'est qui, encore, Fouzia?»

La discussion tournait en rond et Jonas en profita pour se rapprocher de Marème. Il s'était assis à côté d'elle et développait ses longues jambes qui se terminaient par des souliers en cuir. Marème n'osait plus bouger. Elle pouvait sentir les odeurs de torse et de bouche du journaliste.

– Vous avez mangé? bégaya-t-elle tout en se traitant à part soi de nigaude. C'était à *travaillé* qu'elle pensait.

– Pas encore. On a pas arrêté de courir aujourd'hui. C'est comme ça depuis qu'on a quitté Paris.

Elle se représentait sa vie là-bas. Sa mère. À quoi ressemblait sa maison?

– Vous avez combien de frères et sœurs? fit-elle.

– J'ai un seul frère, mais on ne se voit pas beaucoup. En ce moment, il se balade quelque part entre Bangkok et Antananarive. Vous connaissez Madagascar?

Elle eut un rire embarrassé :

– Je ne connais que Nouakchott mais je n'aime pas. C'est plein de sable, de militaires et de maisons grises. On s'ennuie là-bas.

– Et vous, vous voulez faire quoi comme métier?

– C'est pour l'enquête de votre collègue que vous me demandez ça?

— Pas du tout. C'était par curiosité.

Elle réfléchit. Madame Sow, la conseillère d'orientation de son lycée, disait que c'était la communication, l'avenir, qu'elle pourrait y faire son trou même avec un simple bac. Elle n'était pas sûre d'en avoir la volonté. Elle rêvait d'un métier où tout le monde l'aimerait, l'admirerait. Elle avait les ambitions de son âge et de son sexe.

— J'ai plusieurs pistes, fit-elle en croisant les jambes. Mais ce qui est sûr c'est que je risque de me taper une année blanche parce que ça fait des semaines que mon lycée est en grève. Y a plus d'argent pour payer les professeurs. Alors ils ont annulé les cours et les élèves brûlent des pneus dans la rue.

— À la radio aussi, ils font la grève, ajouta Jonas en se levant. Excusez-moi, je vais voir si je peux manger quelque chose.

Alors qu'il s'éloignait, Marème fut tentée de fuir. Elle se désolait de manquer autant de vivacité. Avec la moitié de la hardiesse de Fatime, elle aurait impressionné Jonas au lieu de trembler qu'il ne la prît pour une gamine-pays sans personnalité. Elle se leva pour rentrer chez sa tante mais se ravisa : que trouverait-elle de bon à faire là-bas ? Qui trouverait-elle d'autre que Fouzia, beurrée de crèmes éclaircissantes et vautrée dans son lit avec ses trois coussins en faux satin, un pour la nuque, un deuxième pour les lombaires, un dernier pour lui soulager le coccyx. Tante Fouzia, à l'étroit dans sa robe de nuit, et qui, tout en frictionnant sa panse, lui décrirait par le menu le maquillage, la coiffure et les piètres accessoires de ses voisines aperçues tantôt sur la plage. Ce n'était pas une heure pour écouter les potins d'une vieille chipie.

Elle ramena ses mains sur sa poitrine et contempla la mer enténébrée de Mbour. «La mer du Nord», puisque, après les côtes sénégalaises, l'eau grossissait, s'élargissait pour atteindre l'Europe. Le monde est vaste, mais Marème n'en était pas avide. Elle se contentait de penser à la chambre de Jonas qu'elle imaginait beige, ou alors bleu-garçon, une piaule fonctionnelle où tout durait, tout marchait. Elle écrasa un moustique qui venait d'atterrir sur sa jupe en jean clair. Ici, même ce qu'on payait dans les belles boutiques s'abîmait vite.

Elle se retourna en entendant Libasse aboyer sur Biram puis s'avança vers la kitchenette où les deux jeunes gens s'affrontaient encore.

– Le client, c'est lui le roi! hurlait le nouvel homme fort de la buvette tandis que Jonas tentait de le calmer.

– Y a pas de problème. C'est rien.

Le journaliste ignorait comment réagir. Sa voix n'était plus qu'un bruit parmi d'autres.

– En tout cas, pour moi, c'est plié. Tu travailles

plus pour nous, conclut Libasse avant de tourner les talons. Les pouces accrochés aux bretelles de son pantalon, il sortit de la cuisine et s'engagea d'un pas fiérot vers une table.

– C'est rien du tout, répéta Jonas en coulant un regard désarmé à Biram. Il réfléchissait à ce qui s'était produit. S'était-il montré trop direct envers lui lorsqu'il était venu lui passer sa commande? Méritait-il ce que Biram lui avait alors répondu : «Y a pas marqué boy sur mon front.» N'aurait-il pas fallu attendre que l'employé du *Normandy* vînt à lui, au lieu de débarquer devant ses fourneaux sans saluer? Il se mordit la lèvre. «Respire, décompresse!» C'est ce qu'il eût aimé dire à Biram, comme à un copain juste un peu échauffé.

Marème avait rejoint Biram :

– Laisse! Dès demain, quand ils seront tous rentrés chez eux, tu vas le voir replier toutes ses chaises longues. Et puis, qu'est-ce que c'est? Ce n'est pas ta buvette. Alors qu'est-ce que tu en as à fiche? Laisse, je te dis, ça vaut pas.

Les poings de Biram disparurent dans les poches arrière et souples de son blue-jean. Il n'était plus en colère mais il pouvait localiser physiquement sa douleur. Elle allait du nombril aux mollets. Elle lui coupait les jambes. Il se sentait aussi cassé qu'un vieillard.

– C'est bon, finit-il par murmurer en remplissant

ses poumons d'air iodé. Puis il tendit la main à Jonas tout en dévisageant Marème. Il ignorait ce qui la liait à l'étranger, si le dépit qui l'avait gagné dès l'instant qu'il les avait vus attablés côte à côte était fondé. Il avait alors pensé : «Elle est amoureuse» ou plutôt : «Forcément elle va l'aimer, puisqu'il vient du Nord.» Au fond de lui-même, il partageait l'opinion de Libasse : «Le client est roi.»

Il contempla les pieds plats de Marème, ses ongles barbouillés de vernis et le Y jaune des claquettes à deux doigts de rompre. Il se demanda ce que deviendraient ces pieds, s'il leur arriverait de faire l'aventure ou s'ils s'enfermeraient dans des chaussures trop hautes à vous donner le vertige. Est-ce que tous les pieds des femmes finissaient par se ressembler ? En attendant, ils suivaient docilement Jonas qui s'était proposé de la raccompagner chez sa tante.

La nuit les noya dans son jus. Biram revint à la cuisine où il s'empara de deux sacs-poubelles qu'il bonda de ce qu'il estimait lui appartenir (papier aluminium, bidons vides, couverts en plastique, canettes de boissons, piles électriques). Oumar réveillé, il hissa son paquetage sur le dos et atteignit rapidement la route qu'ils empruntèrent sans un mot.

– Tu me donneras à boire ? murmura son cousin lorsque la maison de Maguette fut en vue.

Biram tira du sac-poubelle un Pepsi que le gamin but à toutes petites lampées.

Il était à présent assis sur son Picot et se serait moqué de lui-même s'il ne s'était pas senti aussi las. Il aurait souri en repensant aux espoirs idiots dont il s'était nourri depuis des semaines. Il s'était vu gérant comme un as le Normandie. Il avait rêvé à l'argent, à l'amour, à la vie en général, et tout s'était cassé la figure. Un moment, à La Signare avec Marème, il avait même cru au bonheur. Car il y avait droit, car cette malédiction, jugeait-il, d'avoir été le fils d'un bandit, cela suffisait. «Arracheur d'arachides!» pensa-t-il pour lui-même en envisageant son départ pour Kédougou.

Une heure s'écoula, peut-être plus, largement plus, sans que Biram remuât même un cil. Il finit par se lever, il enfila un sweat et quitta la maison de sa tante.

Il traversa la place des Margousiers, longea l'arrière de la grande mosquée et arriva sur la plage où s'était tenue quelques heures plus tôt la cérémonie de clôture de la course. Le podium et les tentes des coureurs avaient été démontés Les voitures des champions étaient reparties. On ne distinguait plus que des squelettes de stands gardés par des ébauches de chiens. Plus loin, un petit groupe d'hommes étaient assis sur une natte synthétique face à la mer, comme à la maison. Diabang était des leurs, son crâne ovale encadré de sa paire d'épaules asymétriques qui se balançaient de l'arrière vers l'avant sur la musique grésillante d'un téléphone portable. Il cessa de danser en apercevant Biram et lui fit signe d'approcher.

Le jeune homme hésita, tout juste s'il ne détala pas en se rappelant combien il avait été malhonnête avec l'infirme. Il l'avait trahi en négligeant de distribuer ses prospectus. Il avait été trop arrogant pour l'écouter. Tout ça pour rien puisque, le rallye terminé, il se retrouvait seul, sans job et sans perspectives.

— *La solitude*, Biram, lui lança le spécialiste lorsque le garçon fut à portée de voix. *Tu es seul en toi. Tu viens seul, tu bouges seul, tu iras seul.*

Biram se racla la gorge pour articuler un 'soir penaud à la cantonade et casa à son tour ses jambes sur la natte.

La conversation repartit. Un jeune père de famille racontait son aventure : cinq jours de car rapide et de bus pour atteindre Nouadhibou, des mois à attendre un passeur et le départ d'une pirogue et, enfin, la pirogue et ses quarante-sept passagers. Tous les jours, il se souviendrait de cette femme qui pleurait d'avoir eu à quitter ses enfants. Elle était inconsolable et, le lendemain seulement du départ du bateau, elle était tombée à l'eau et s'était noyée. Il s'interrompit pour se moucher le nez avec le devant de son pull-over moutonneux.

— Y a eu d'autres morts. Mais on n'a pas pu prévenir les familles parce qu'on ne connaissait pas tous les noms. Moi, moi, je jure devant Dieu que je n'avais pas peur. De un, parce que j'ai une femme. De deux, parce qu'elle m'a donné une fille en bonne santé. J'ai pensé : «Si je suis mort, alors je n'aurai pas tout perdu.»

Un homme qui connaissait la fin de l'histoire ajouta :

— Le Puissant n'a pas voulu que tu restes là-bas. Il t'a fait revenir dare-dare et toi tu es revenu dare-dare.

— J'ai tenu dix-sept jours. Je n'ai pas honte d'être revenu. J'ai fait ce qu'aurait fait n'importe quel homme. Je n'ai ni tué ni volé ni menti, là-bas, j'ai ma conscience tranquille.

Il se gratta les poils mal plantés de ses joues. Il devait avoir la vingtaine, mais en paraissait quinze de plus. C'était dans les yeux qu'il était vieux, deux petites billes noires sans expression noyées dans des cils en bataille.

— Dix-sept jours, c'est pas dix-sept heures, ça donne une idée. Et puis, là-bas, au centre, ils nous mettaient à l'aise. Tous les jours, on avait droit à trois repas. Ils nous donnaient des cartes télépho-niques, des cigarettes et du savon, pas n'importe quoi comme savon, celui-là avait une odeur spéciale. Grâce à ça, tous les matins, j'ai su que j'étais en Europe. Un jour, ils m'ont mis dans un avion. J'ai pensé que c'était pour l'Espagne. Avant de partir, j'avais vu qu'en Europe il y avait des îles. Et que Tenerife c'était plus près de l'Espagne que du Sénégal. Mais quand j'ai vu que ça durait, c'est là que j'ai commencé à douter. Puis, plus du tout, parce qu'on était déjà à Ndar. Bof, y en a qui pleuraient, y en a qui disaient qu'ils voulaient repartir et qu'ils se tueraient si on les laissait pas. Mais ils n'étaient pas là pour ça, les militaires qui nous attendaient à l'aéroport. Ils avaient des grands sacs avec des boissons et des sandwiches. Ils nous en ont donné et puis aussi des jetons pour payer notre transport jusqu'à chez nous.

Il essuya la morve qui coulait sur ses lèvres puis sortit de sa manche roulée une cigarette espagnole à moitié cassée qu'il alluma sous son pull pour se protéger de la brise marine. Ses yeux étaient fermés, ou bien encore ouverts, comment savoir ?

— J'ai vu beaucoup et je n'ai peur de rien, si tu enfonces un couteau dans mon bras, ça ne saigne pas.

Il continuait, mais son élocution avait changé. On aurait dit qu'il chantait ou qu'il causait pour lui tout seul. Il divaguait et ne se brida pas lorsqu'un nouvel aventurier prit la parole. Cet autre-là s'était fait rapatrier au Sénégal deux ans plus tôt. Deux ans, c'est long, mais il en parlait comme d'un événement qui s'était produit la veille, avec la même passion et, sans doute, les mêmes tics. Il gonflait les joues tous les cinq mots et grattait régulièrement son cou comme s'il avait une poussière dans la gorge :

— Après Nouakchott, j'ai fait le Sahara. Deux jours, et je suis rentré. Quand je marchais, je marchais à côté des cadavres. La deuxième fois, je suis parti de Nouadhibou, comme lui. Le marabout m'avait prévenu que peut-être cette fois, ça irait. On était soixante-trois. Mais le plus dur c'était la nuit. La nuit dans la pirogue, tu vois n'importe quoi. Tu entends des bruits et tu crois que c'est un train qui vient ou que c'est ta mater qui t'appelle. Il y en a même qui mordent les autres pour savoir s'ils sont encore vivants. Les vagues, le vent, babababa ça fait dans la tête. Mais si c'était à refaire, si je réussis à trouver trois cent mille, je vends tout : mon ordinateur, ma musique, mes téléphones, et je vous jure que je pars. Après Dakar, Saint-Louis, après Saint-Louis, Rosso, et puis Nouadhibou, Bruxelles, Barcelone, La Hollande. Tu dois te diriger vers ta chance. Tu ne peux pas pêcher du poisson en restant dans ton champ, ça, c'est sûr ! Moi, je me suis déjà dit ça, si ça s'peut, je repars même si c'est Asie, c'est bon.

Parce que, ici, qui peut donner un million ? C'est la merde quoi ! Avant, j'étais un beau gars, teint clair, sourire et tout et tout. Maintenant, est-ce que tu as vu ? Je suis noir à force de tourner en rond.

Un soudeur cinquième catégorie lui demanda quel était son métier. Parce qu'un vrai métier, insistait-il, c'était comme d'avoir de l'or dans les mains : « L'argent n'est pas la chance. » La plupart approuvèrent. Il y avait plus grand que l'Espagne, Paris ou n'importe quel eldorado en Europe. Par-dessus tout, il y avait le Créateur, Celui qui donnait ou qui reprenait.

Les dos des hommes se voûtèrent. Leurs paroles raccourcirent sous le chahut de l'eau et les bruissements des mobiles.

— Si tout le Sénégal part du Sénégal, je serai le seul à rester, fit Diabang au bout d'un moment. C'était marmonné sans amertume mais l'œil vissé à cette mer qu'il ne prendrait jamais, ni pour quitter le pays, ni pour revenir.

Des hommes de Mbour, il était bien le seul à ne pas rêver. Il fallait des jambes pour marcher le monde. C'était un minimum. La volonté, la chance, l'argent, n'intervenaient qu'après.

— Aujourd'hui, reprit-il, car il savait que Biram l'écoutait, tu soulèves un rocher, mais, demain, tu ne seras même pas capable de soulever une

feuille. Toi qui es jeune, il ne faut pas rester assis.
Regarde : même le prophète était un immigré. Il a
fait La Mecque, il a fait Médina. Le garçon haussa
les épaules :

— J'attends mon heure, c'est tout. Il faut avoir un
plan. Il faut bien réfléchir.

Et lui aussi se mit à creuser l'horizon, sans fantasmes, sans s'encombrer des mémoires et des
chimères de ces aventuriers que, pour de rire, il
appelait *anciens combattants*. Il connaissait par
cœur leurs histoires, le coup du savon parfumé,
les gens qui mordent les gens et l'argent de poche
qu'on te remet quand on te renvoie dans ton pays.
Il connaissait ces légendes parce que tout le monde
les racontait. Dans le quartier où vivait sa tante, il
y en avait même un qui avait prétendu avoir marché jusqu'en Libye. Il avait manqué de chance car
on l'avait arrêté, torturé et relâché des mois après
dans le désert, sous un soleil de Satan et sans un
fond de bidon d'eau. Alors, dès son retour au Sénégal, il avait créé une association destinée à épauler
les rapatriés. Des télés étrangères s'étaient dépla-
cées jusqu'à Mbour pour le filmer et le déguiser en
héros. Ouais, il s'était bien débrouillé. Grâce aux
subventions des uns et des autres, il s'était payé des
costumes à un million et avait ouvert son local :
un bas de villa avec des posters de Wade scotchés
aux murs et, dans un fauteuil à roulettes avec

accoudoirs, une secrétaire qui consultait l'horoscope tous les matins sur internet, avant de passer ses coups de fil personnels et d'éplucher ses fruits. La semaine précédente, c'est elle qui avait prédit à Biram que tout irait bien, *qu'il passerait d'excellents moments avec sa compagne, que sa forme physique serait éblouissante, qu'il ressentirait un grand bien-être et une joie intense de vivre, que les influences planétaires favoriseraient les transactions financières importantes et qu'il serait très bien inspiré d'effectuer des placements ou réaliser une opération immobilière.*

Tout à coup, le vent souffla dur et chiffonna les figures des hommes. Ils se tassèrent les uns contre les autres comme s'ils étaient à bord de la pirogue et que le ciel et la mer allaient de nouveau leur tomber dessus. Tant que dura la bourrasque, ils demeurèrent ainsi et, quand le ciel s'éclaircit, que les étoiles, la plage et la mer resurgirent, quelqu'un proposa de rentrer. Le soudeur, qui était un garçon costaud et décidé, souleva Diabang dans ses bras.

Capuche rabattue, seul Biram était resté assis sur la grève. Il ne regardait plus l'océan. Il réfléchissait au sens d'*influences planétaires*. Ces deux mots accolés sonnaient joliment à l'oreille, comme un nouveau programme télévisé en seconde partie de soirée, comme une résidence chic ou un cocktail diététique servi dans un bar d'hôtel où des citoyens du monde entier grignoteraient des bricoles avant un rendez-vous d'amour ou d'affaires. La faim le fit grogner et le remit sur ses jambes. Il n'avait pas croûté depuis hier nuit. Un paquet de Biskrem chocolat, c'était précisément ce qu'il guignait, ce qui lui flanquerait une *forme éblouissante*, pensait-il avec rancœur en s'orientant vers le container de la buvette dont il avait conservé la clef.

Il dut écraser une dizaine de cancrelats avant d'accéder aux biscuits, et sourit en sentant rouler sous ses doigts le paquet cylindrique à l'emballage sommaire : aucun dessin dessus, ni enfants aux anges, ni maman accorte, ni fève de cacao, ni grosses vaches en train de brouter ou de se faire traire. Pas le moindre laïus non plus sur l'origine de ces cookies que Biram se figurait turcs ou allemands, vu leur nom.

Il prit son temps. D'abord, il s'essuya convenablement les mains avec un torchon avant de s'installer sur le dessus d'un petit escabeau et d'entreprendre le paquet sans forcer, en détachant délicatement la languette d'ouverture. Se saisissant ensuite du premier disque de pâte sablée, il ferma les yeux en le glissant lentement, doucement sous sa langue. Sauf le lait de sa mère, il ne se rappelait pas avoir sucé quelque chose d'aussi délicieux. Le cacao baigna sa gorge, il replongea la main dans le paquet, et rebelote, rebelote, jusqu'à ce que les douze Biskrem du cylindre eussent disparu et qu'il n'eut plus qu'à explorer chaque recoin du container à la recherche de nouvelles sucreries à claquer.

Il entendit des bruits. Quelqu'un s'approchait du container d'un pas sûr, comme s'il n'était pas venu là pour voler mais, au contraire, confondre et pincer le voleur. Le battant de la porte s'écarta et, avant que Biram ait eu le temps de se cacher, le faisceau de la lampe torche de Libasse lui brûla les yeux.

– Qu'est-ce que tu fiches encore ici ? Qu'est-ce que t'es revenu voler ?

L'intervention du vice-gérant du *Normandy-Lounge* démarrait plutôt mal et Biram, en l'entendant, sentit renaître sa douleur, celle-là même qui allait du nombril aux baskets et lui coupait les genoux. « Donc c'est comme ça, pensa-t-il en fronçant les sourcils, c'est ainsi que roule le monde : à qui criera le plus fort, à qui cognera le plus tôt, à qui montera sur la tête des autres, chaussures cirées-frottées aux pieds mais semelles tavelées de merde. C'étaient les malheureux contre les combinards, quoi. »

– C'est du vent, l'interrompit-il en froissant l'emballage des Biskrem. Il se tut et regarda le pantalon de Libasse, aussi étincelant et tendu que s'il avait été midi.

L'affaire aurait pu s'arrêter là. Seulement, le

neveu de Chérif était vexé. Il exigeait des excuses et alignait les sottises.

– Voleur, bâtard, chien, mécréant.

Il se rua sur Biram qu'il empoigna par la capuche.

Un premier coup partit sans qu'on eût pu dire lequel des deux garçons l'avait porté en premier. Ils luttèrent dans l'obscurité, dans un silence entre-coupé de frottements de tissus et d'ahanements, sans un brin de ruse mais avec énergie. Ils ressemblaient à de jeunes chiens nigauds et en colère. Ils s'épuisèrent en même temps et leurs gestes tournèrent en une danse de salon lente, hésitante et ridicule. Pour finir, Libasse s'écroula à terre tandis que Biram, le souffle en petits morceaux, se déplaçait vers la torche pour la diriger vers le corps sonné de son adversaire.

D'avoir pris le dessus contentait Biram, mais ce qui le comblait, c'étaient ces taches toutes fraîches d'huile sur les genoux du beau pantalon blanc de Libasse. C'était d'imaginer la grimace de Libasse quand il les découvrirait, la mine qu'il afficherait alors lorsqu'il lui faudrait tout enlever pour nettoyer son jean : les bretelles, l'hyper cellulaire et les deux souliers brillants. Cul nu, Libasse ferait moins le fier.

On peut quitter pour toujours la demeure de son mari, on peut être sur la paille et se payer des baskets à un million, on peut brûler son journal intime, on peut suivre une inconnue dans une chambre d'hôtel, on peut se raser la moustache, on peut revendre sa collection de figurines Warhammer, on peut sauter par la fenêtre, on peut vouloir d'un chien et puis tuer son chien, du jour au lendemain, sur un simple coup de tête. Si l'on considère que tout cela est possible, alors on peut comprendre ce qui, ce soir-là, décida Biram à subtiliser un portefeuille qui ne lui appartenait pas et à voler Libasse. Ce n'était ni cupidité, ni malveillance, c'était *comme ça*. Quelque chose lui était passé par la tête et le voilà qui, aussitôt l'argent raflé, cavalait dans la nuit. Il n'avait jamais vu ses pieds charrier une telle poussière, ses jambes ne lui avaient jamais semblé aussi rapides et sauvages qu'à présent. Elles traversaient la plage, elles enfilaient la route, elles auraient même atteint Dakar depuis longtemps s'il ne s'était pas arrêté devant le portail de l'ancienne esclaverie.

L'escalier le hissa à l'étage. Il se tenait à la rampe du balcon, le muscle aussi raidi que l'esprit, incapable de songer à quoi que ce soit d'autre qu'à sa mère qu'il se représentait avec tout son bastringue et sa magie de mère : ses pagnes, ses crèmes et ses perles. Elle s'était appelée Ngoné jusqu'à l'âge de vingt-sept ans, puis les gens l'avaient baptisée *la Folle* après qu'ils l'eurent surprise en train de tourner autour des arbres à reculons. Dans la maison où ils avaient vécu ensemble, sur le mur où s'adossait le buffet, il y avait eu, durant des années, une photo d'elle en robe à dentelles et en chignon levé comme un cake. Elle s'était mariée avec du rouge à joues et un sourire de poupée.

Puis c'est au corps de deux mètres de son père qu'il pensa, quelques semaines avant que les policiers ne l'eussent troué de balles. Son père tout entier, donc, qui le dévisageait, debout contre le mur de leur cour, rempli de cette nourriture riche que son épouse lui avait préparée. Il appelait son fils. Sa voix était dure et Biram se souvenait de toutes les calottes qu'il lui avait collées. Puis le père partait faire sa vie, au prétexte que c'était lui qui ramenait le beurre et qu'un soutien de famille ne peut pas rester là à se tourner les pouces. Il avait été un homme à Mercedes, à épaulettes, discothèques et maîtresses. Il avait été le patron, le premier des Diop dont le salaire valait largement plus que deux ensembles pagnes et cinq sacs de riz. Tout avait marché jusqu'à ce que le scandale éclatât et que ses noms-prénoms, accolés à toutes sortes de noms d'oiseaux, eurent circulé dans les journaux. Alors, Ngoné avait cessé d'exister. Elle était devenue une cruche, sa cruche d'épouse dont les voisins, amis, parents et amantes se gaussaient. Au vu d'eux tous et en plein jour, il avait fallu recevoir

la police, apprendre de la bouche d'agents indéli-
cats ce que le salaud, même en fuite, même mort,
avait commis : grande escroquerie, homicide invo-
lontaire, blanchiment d'argent sale. Tout ce que
ce salaud tout juste bon à la marier devrait encore
à l'État. « On va te saisir. » Biram se rappelait la
menace qu'ils avaient fini par mettre à exécution.
Une semaine à peine après le drame, deux gars,
puis quatre, avaient forcé les portes du 24 de la rue
Mermoz pour se saisir de tout ce qui appartenait à
la famille. C'étaient des professionnels, ils travaillaient vite. C'étaient des grands et Biram n'avait
pas été chiche de leur sauter à la gorge. Ils étaient
repartis et la maison lui avait semblé tout à coup
minable avec ses allures de boui-boui, ses bruits
d'eau qui goutte et de femme qui pleure.

Quelque chose d'aussi léger que le craquement
d'une feuille le fit sursauter et il rouvrit les yeux sur
l'océan noir. « Je vaux pas mieux que lui. » Il s'accroupit derrière les barreaux rouillés du balcon. « C'est
une affaire de gènes et de mauvais sang. » Sa gorge
était embrasée, comme si on y avait versé de l'essence. Il cracha. Gonflant sa poitrine au maximum,
il la vida au maximum et se décida. Il allait s'en sortir seul comme un homme et sauter sur la première
occasion (un taxi, un stop) pour quitter Mbour.
L'idée était de gagner Dakar bien avant midi, d'y

demeurer quelque temps ni vu ni connu, et, pourquoi non, d'y faire sa vie. Il n'était pas manchot, il
pourrait monter son propre business, gagner gros et,
sans se saigner les veines, rembourser intégralement
le neveu de Chérif. Il n'était pas aussi chien qu'il s'en
donnait quelquefois l'air et, sur la tête de sa mère,
il n'avait jamais rien volé à personne. Songeant à
la grande ville, il pensa naturellement à Marème, à
sa chambre tapissée de posters de moitiés de célébrités dont elle parlait comme s'ils avaient été des
amis intimes et adorables. Quelle serait la réaction
de la jeune fille si elle le voyait entrer dans la villa du
Point E, asseoir ses fesses sur le canapé cuir du salon
et demander après elle sans ciller ni rougir? Serait-
elle furieuse, étonnée? Cela la flatterait peut-être de
croire qu'un garçon n'était monté jusqu'à Dakar que
pour ses beaux yeux. «C'est une question de bon
moment, les femmes.» Mais aussi de chance.

Un souvenir coquin lui revint en mémoire et son
sexe durcit. Jusqu'à présent, il n'avait eu que deux
expériences avec des *travailleuses sur le dos* gha-
néennes qui bredouillaient le wolof et se faisaient
payer en viande. Une brochette de foie pour leur
peloter les seins, une cuisse de poulet contre une fel-
lation, un poulet de chair entier contre un rapport
sexuel de cinq minutes montre en main. Et tant pis
si le désir, dans ce laps de temps, ne prenait pas,
si leur odeur malpropre (cigarettes, alcool, huile de

cuisson, fond de culotte) répugnait. Tant pis pour lui si, après renfiler son caleçon et remonter sa braguette, il n'avait pas eu l'occasion d'exprimer son désappointement. Car, en vérité, il n'était pas certain d'avoir apprécié la *manœuvre* et se demandait encore s'il n'eût pas été préférable d'éteindre la lumière. Ne fût-ce que pour se soustraire au rictus de l'employée et se débarrasser discrètement du préservatif sale. « La prochaine fois, se promit-il en se remémorant ces films où l'on fornique sur des canapés blanc crème sur fond de musique au mètre, la prochaine fois, je ne serai pas timide. »

Des tuiles grincèrent du côté de la toiture. C'était l'heure *des fantômes-cordonniers*. Leurs chaussures seules leur valaient ce surnom, des chaussures racornies qu'ils laçaient et ciraient avant de les agiter dans tous les sens. Une fois, ils avaient dansé les claquettes, si longtemps, si obstinément, que personne, dans tout Mbour, n'avait pu s'endormir. Car c'était la nuit, en pleine nuit et en groupe, que les fantômes sortaient des ténèbres. Nés trois siècles plus tôt et morts de la mort la plus naturelle qui soit pour un nègre (pendaison, scorbut, coups de fouet ou de pétoire), ces anciens esclaves s'entêtaient donc depuis à remonter sur le toit, gardiens siphonnés de l'histoire. Mais peu importait aux habitants de Mbour d'analyser le pourquoi de ces bamboulas funèbres, ce qui comptait, c'était de se rappeler que

La Signare était hantée, et que l'on ne pénètre pas, à moins d'être fou d'esprit ou un sacré féticheur, dans une maison peuplée de démons.

Croyant distinguer des ombres au-dessus de lui, Biram rejeta hardiment sa tête en arrière et aperçut sur le chéneau un alignement de culottes, de mollets bardés de cicatrices et de souliers à semelles métalliques. Et ils riaient, tout ce tintouin de revenants pouffait, sous le regard furieux d'une sang-mêlé équipée d'une cravache que les *fantômes-cordonniers* appelaient *Not'Signare*.

Biram se réveilla. Près de lui, un chien jaune et pelé, ses yeux comme deux trous qui l'observaient. La faim donne ce regard-là.

– Fous l'camp, brailla le garçon en serrant son poing comme une pierre. Puis il se leva pour intimider la bête d'un mouvement brusque du bras. Qu'est-ce que tu cherches? fit-il plus doucement en la dévisageant. Le corps du chien n'était que gnons, un paquet d'os et de poils. J'peux rien faire pour toi, vieux. J'ai rien à bouffer, avoua-t-il, se demandant, attendri, comment une telle ruine, une telle antiquité, avait réussi à tenir le coup.

La vieillesse l'intriguait. Elle lui semblait un miracle dans un monde qui offrait tant d'occasions de mourir. Haussant les épaules et tournant le dos au cabot, il longea le balcon et tira de dessous les lattes du parquet un sachet en toile enfermant sa paire de jumelles dont il caressa le gainage grêlé. C'était du lourd, ces jumelles. Rien à voir avec la pacotille des Libanais ou des Chinois. Rangeant l'engin dans la poche ventrale de son sweat, il s'appuya contre la balustrade pour jeter un dernier coup d'œil à la mer. Combien de temps, dans sa vie de gosse, avait-il passé à la scruter? Combien d'heures à s'inventer des histoires stupides de superhéros? Cela se comptait sûrement en années. À l'idée de quitter Mbour pour prendre sa vie en main, il était encombré de pressentiments : *tu parles, tu rêves, attention, laisse tomber.*

C'est à ce moment-là que le chien bondit sur Biram et, avec la violence naturelle d'une bête sur le point d'en dévorer une autre, le renversa. Deux feux rouges s'allumèrent dans les yeux de l'animal. Sa gueule baveuse gronda puis s'ouvrit sur la figure du garçon. Elle ne déchiqueta que la capuche. D'instinct, Biram s'était mis en boule en espérant que le vieux chien se lasserait. La bête ne lâchait pas. Biram dut se battre pour la soumettre, cogner avec ses jumelles jusqu'à ce que le clébard vacillât, couinât et mourût pour de bon. Il s'essuya les mains avec son sweat en haillons et partit sans regarder derrière (cadavre – mer – jumelles). Sans vraiment tenir compte de ce que le muezzin du petit jour était en train de raconter.

TENERIFE

— Ça, c'est Little Africa. Tout ce qu'il y a au Sénégal, tu le trouves dans les boutiques d'ici.

Et Biram circulait. Il avançait droit comme un patron lorsque, montrant à Malek son quartier, il feignait d'être le maître des lieux, nommant d'une voix désinvolte chacune des rues qu'ils empruntaient, levant avec autorité le pouce pour ralentir, ou bien stopper un véhicule, jeter un *ça va salut* aux camarades qu'ils croisaient. Il marchait relâché, la fronce de l'ennui aux lèvres.

— Toi, s'extasia Malek, dans un sourire coulé d'un bloc, tu connais beaucoup de choses. T'es à l'aise, ici.

Biram ne releva pas. Il fallait être frais comme un yogourt pour formuler une ineptie pareille et croire qu'il suffisait d'accoster à El Fraile pour être un homme heureux et un immigré tiré d'affaire. Dans ce village au sud de Tenerife, la grosse Europe était encore loin. On continuait d'en rêver. On se disait : « J'y suis presque. » On espérait l'atteindre un jour, *si Dieu veut car Dieu est grand*. Alors, bien sûr que la vie nous paraîtrait plus douce et qu'on arpenterait les trottoirs la tête altière et le sourire dehors. Sûr qu'on répondrait du fond du cœur « ça roule » lorsqu'un aventurier sans expérience nous presserait de questions.

— Tu sais beaucoup de choses, insistait Malek. Tu as fait ton temps ici. Trois ans, c'est bon. C'est pour ça que tu parles bien l'espagnol.

— Leur langue est facile, mais elle est jalouse. Dès que tu l'as, tu oublies les autres. Moi, elle m'a mangé mon français. Si je vais à Paris maintenant, on me prend pour un vaurien de Sierra-Leone.

— Je veux parler comme toi. Pour les rencontres, c'est mieux. Paraît que leurs femmes aiment bien les étrangers.

— *Mierda*, lâcha tout à trac Biram avant de cracher. La Canarienne, c'est du poison. Même les Canariens, ils le disent. Si tu les maries, elles te prennent ton argent et si tu les emmerdes, on t'enferme, tu vas direct en *cárcel*. *Aquí, la mujer manda.*

Les deux se turent et, dans un même mouvement, enfouirent leurs mains calleuses dans les poches de leurs jeans flottants. Leurs jambes étaient maigres, leurs silhouettes à peu près identiques. C'étaient des Sénégalais, en déduisait-on aussitôt en les croisant, et l'on se remettait Dakar, si l'on connaissait Dakar, on les remettait tous les deux avenue Lamine Guèye, pourquoi pas?, au milieu de promeneurs aussi jeunes et inoffensifs qu'eux. Alors, de les apercevoir dans ces habits d'hiver trop larges, de les voir cheminer côte à côte sur les trottoirs petit format d'El Fraile, cela troublait. On ne savait plus au juste quoi éprouver : plaisir ou bien cafard.

On entendit ronfler un moteur. Au dernier étage d'un immeuble trapu, une fille passa la tête par la fenêtre pour injurier un individu à moitié habillé qui avait dû dormir là. Le fuyard disparut, la furie referma sa fenêtre et ce fut tout. Ce quartier-là était tout à fait ordinaire. Un déroulement de rues, un afflux d'immigrés. Une concentration de laveries, de cabas à roulettes et de *locutorios*, ces cybercafés où l'on pouvait joindre, à n'importe quelle heure et à bon prix, Dakar, Tunis, Bamako ou Niamey.

— T'as vu le bœuf? s'écria Malek en suivant des yeux un Hummer noir qui venait de les dépasser.

Biram soupira. La morgue et l'envie avaient rembruni son visage.

— Ça, c'est spécial Nigeria. Et les Nigérians, c'est comme les Arabes : ils aiment trop faire du trafic.

Bosser, ça leur dit rien. C'est l'argent, l'argent seulement qu'ils font travailler.

— Toi, tu n'aimes personne.

— Je n'aime pas les emmerdements. — Biram consulta l'heure sur son téléphone portable. Il paraissait à présent soucieux. — Faut que je file. On finira la visite demain. Je dois aller à Las Americas gagner ma croûte. Tu te rappelles comment on fait pour rentrer à la maison?

Malek eut un rictus qui signifiait : No problème.

— De toute manière, reprit Biram d'une voix un rien rassurante, ce bled c'est une vraie poche. Tu peux pas te perdre.

Puis il releva le col de sa veste avant de s'engager seul vers l'arrêt de bus. Il caillait pour de bon malgré le soleil clinquant et les présages de Lourdes Estoril, la présentatrice météo de TVE. Dans sa jupe qui lui rallongeait les jambes et lui offrait une taille de poupée mannequin, l'Espagnole avait promis ce matin vingt-trois degrés avant de disparaître du cadre et d'être remplacée par un spot publicitaire dénonçant la violence conjugale ou l'alcool au volant. Tout le monde peut se tromper, mais le problème, chez Lourdes Estoril, c'était son ignorance et son inconscience. Elle n'avait jamais dû avoir des trous dans ses chaussettes, elle. Elle n'avait jamais logé plein nord, avec des courants d'air dans les pièces et des traînées d'humidité sur les murs. Ses fenêtres fermaient. Ses radiateurs, ses toilettes, l'ascenseur de son immeuble résidentiel fonctionnaient. Le monde de Lourdes Estoril était parfaitement ventilé. Elle vivait tous les jours à vingt-trois degrés.

« Et alors ? C'est mes oignons ? Ça m'empêche de vivre ? » Biram rabaissa son col et sortit ses mains de ses poches. Tout était une question de mental. Si, à peine réveillé, un homme commence à ronchonner, alors tout ce qu'il lui arrivera dans la journée sera moche. Forcément, il fera froid. Forcément, il lui tombera une tuile sur le dos et forcément, il aura de bonnes raisons de se plaindre.

Le même bison noir métallisé ressurgit pour se garer à quelques foulées de l'arrêt de bus où s'était assis Biram. Un Africain en smoking blanc de plomb en descendit : cuisseaux corpulents, afro ratatiné en plateau sous un Borsalino parme, plus une magnifique rousse en fourrure dont il patouillait négligemment l'arrière-train. Ce *Lagos* en costard, Biram l'avait déjà aperçu dans le quartier. L'homme ne sortait que la nuit et se baladait dans des voitures à millions aux vitres teintées. Il n'était peut-être pas aussi malhonnête que le Sénégalais le supposait. Il n'était sans doute même pas nigérian.

– Hé, *chiquito*, qu'est-ce que tu cherches ? s'écria soudain le personnage en pointant du doigt Biram.

Regarde pas ce que tu n'auras jamais les moyens d'acheter.

Le garçon baissa la tête. Sauf des problèmes, il ne gagnerait rien à riposter. Rester à sa place, c'était le mieux qu'il pût faire, puis grimper dans le premier *guagua* en direction des plages de Las Americas.

L'autobus était bondé et il dut jouer des coudes pour accéder au dernier siège libre. Derrière la vitre, l'île frimait comme une carte postale : ciel bleu de fond d'écran d'ordinateur, goudron brillanté comme une dernière couche de vernis à ongles, montagnes à coupe nette, et partout cette mer qui, en théorie seulement, menait à l'Espagne continentale.

Il ouvrit son sac à dos pour vérifier sa marchandise : 16 bobs, un lot de 10 ceintures dégriffées et 32 paires de lunettes de soleil. Les premiers charters de Noël, surchargés de vacanciers, s'étaient posés sur l'île, mais, pour Biram, ce n'était pas gagné. Il trotterait dur et chercherait à en harponner, des acheteurs, avant d'écouler toute cette camelote. Puis il reverserait les trois quarts de sa recette à Kin le Chinois, son fournisseur attitré.

À la sortie d'un virage, le soleil l'abrutit. Il ferma les yeux et sa mémoire se mit en marche. Il revoyait la barcasse qui l'avait transporté trois ans plus tôt, la débâcle dans l'Atlantique et le débarquement macabre sur les côtes canariennes. Il se remémorait ses semaines de rétention, son expulsion du Centre, et puis cette planque où des copains l'avaient initié au métier de vendeur à la sauvette. À l'époque, jober dans *la calle*, ça rapportait. C'est tous les jours que les touristes lui achetaient ses breloques, ses parapluies de poche, ses repose-tête gonflables, ses mouchoirs, ses casquettes-visières à filet, ses pochettes étanches pour mobiles, ses paréos, ses ventilateurs brumisateurs, ses frites de natation et ses parasolettes.

Le bus 111 s'arrêta à Las Americas et Biram s'aventura dans la grande allée carrelée comme un ouatère du centre commercial *Las Piramidas*. Chaque année, en décembre, c'était le même cirque : des flocons de neige en polystyrène blanchissaient les vitrines, des pères Noël en carton souriaient aux moins de six ans tandis qu'une volée de journaliers à fausse barbe et bérets distribuait des bâtonnets de glace déjà trop fondue aux passants. La musique : un pot-pourri de tubes espagnols revigorants sélectionnés par un animateur polyvalent, D-J, chansonnier, humoriste, mime... En un mot : *un artiste*. Qui, entre chaque morceau ou sketch, encourageait les vendeurs à mener leur propagande. «Mes maillots sont formidables», «Le bonheur à 5 euros», «*Come on baby*, si t'es soldes», «Liquidation totale : ça va faire mal.»

Biram se rapprocha du collectif au moment précis où une confiseuse, «Canaria auténtica», se vantait d'avoir consacré sa vie au *turrón*. Tout comme sa mère, son beau-frère, son père, ses oncles, sa grand-mère, son arrière-grand-mère. Bref, elle était née dedans, si bien qu'elle avait commercialisé sa propre recette de nougats dont elle expliquait la base à un couple de sexagénaires. «Des Belges», identifia Biram en avisant leur gueule en losange, leur mise pas compliquée et leurs deux ventres de poupées baigneurs. Ils étaient surtout durs d'oreilles. La pro du nougat devait s'égosiller pour être entendue d'eux.

– Allez-y, goûtez!

La vieille Nordique s'exécuta, vira aussitôt au violet, et se pencha pour recracher le *turrón* :

– Chais pas comment vous faites pour bouffer ça. C'est vraiment dégueulasse. – Elle essuya ses lèvres tartinées au stick protecteur-réparateur avec un carré de Kleenex. – Dégueulasse et anti-diététique. Trop de sucre. Vous vous nourrissez vraiment n'importe comment, ici, déclara-t-elle sans un pet de délicatesse, sans non plus prendre en compte les excuses de la Canarienne dont le visage brusquement pâlissant amusa Biram. Il pensait : «Bien fait pour toi, *Señora auténtica*. Aujourd'hui, tu sais ce que ça fait d'être pris pour de la merde.»

Son sac sur le dos, il quitta le centre commercial et arriva sur une place, au milieu de touristes en fauteuils roulants, trépieds et béquilles. « Le voilà, le vrai tiers-monde », ironisa-t-il tandis qu'il ralentissait pour céder le passage à un groupe d'unijambistes coiffés de casquettes et de petits chapeaux ronds imprimés de logos d'entreprises. D'autres piétons se mêlèrent aux infirmes et le jeune homme fit halte, pris dans les clameurs et les odeurs d'une foule immobile et suintante, comprimé ; il ne sentait plus le poids de son bagage. C'est après s'être laissé distraire par une mamie qui souriait et avoir senti une main lui frôler le bras, qu'il réalisa que quelqu'un lui avait sectionné les bretelles de son rucksac.

« Dónde estás, cabrón ? Who are you, motherfucker ? Si je te trouve, je te casse ta grande gueule », jura-t-il en tournant la tête de tous côtés. Mais le pickpocket avait disparu. Il n'y avait, autour de lui, qu'une marée d'estropiés dont il s'extirpa sans ménagement avant de foncer au hasard.

Il courut sur plusieurs centaines de mètres jusqu'à ce qu'il aperçût les motos BMW blanches et vertes de la Guardia Civil dont la chasse aux *modou-modou* constituait le principal passe-temps. Modou-modou… Et dire qu'il avait rêvé d'en être un autrefois, qu'il s'était représenté le modou-modou comme un businessman avec un passeport noirci de visas, des privilèges et des relations. Un *grand quelqu'un* quoi, légitime à dire : «Bonjour, j'suis dans l'import-export. Tenez ma carte, appelez-moi.»

Dans une ruelle où il s'était retranché pour éviter les flics, il tâta les poches de ses vêtements. Sa seule fortune se limitait désormais à un jeu de clefs, deux billets de vingt, deux téléphones portables, dont un Motorola presque neuf qu'il réservait à la vente.

Quelqu'un lui tapa dans le dos.

— Toi, ma parole, t'es sourd. J't'appelle, tu réponds pas. Tu passes, tu me vois pas. Qu'est-ce qui t'arrive ? T'es amoureux ? T'as une femme dans la tête ?

C'était bien le genre à Sidi de débarquer comme un paquet surprise devant vous et de vous parler la bouche pleine de malabars. Arrivé à Tenerife l'hiver précédent, le Sénégalais, une masse de cent quinze kilos, avait fait la Hollande, la Suisse, la France, l'Italie. Il adorait le beurre de cacahuète, désossait les PC comme personne et exerçait depuis quelques mois en qualité de rabatteur pour un restaurant. Son déguisement changeait chaque semaine. Aujourd'hui, il incarnait un poulet. Il portait une combinaison jaune à poils.

— C'est congé ou bien ? questionna-t-il en contemplant les mains vides de Biram.

— Tu rigoles. J'ai déjà tout vendu. Avec Navidad, ils dépensent comme des fous. Ils croient en n'importe quoi.

Il désigna du menton la longue file de badauds agglutinés devant un stand. Ils participaient à la grande loterie nationale qui se déroulait tous les ans.

— Et alors ? Leur religion ne leur interdit pas de jouer. C'est la crise. Il faut chercher de l'argent partout.

— Ça, c'est pas mon histoire. La crise, nous on a l'habitude. Ça fait des siècles qu'on vit dedans et tout le monde s'en contrefiche.

En exhumant de sa poche une liasse de prospectus publicitaires ainsi qu'une cagoule avec crête, barbillons et bec, Sidi se demandait quand Biram craquerait pour de bon. Oh, ce n'était pas la colère du jeune homme qui l'alertait, mais plutôt ce truc visqueux et vénéneux qu'il sentait poindre derrière, et que les gens éduqués appellent *mélancolie*. À Milan, le rabatteur avait croisé des aventuriers atteints exactement de la même maladie. Des gaillards plus robustes encore que Biram, mais qui, un beau matin, tombaient boum comme des fillettes. Le travail, ils ne voulaient plus en entendre parler. Les copains, ils se disputaient avec. L'aventure s'achevait en général sur un convertible épuisé, à ressasser des souvenirs de voyages ratés et à boire du thé.

Biram s'empara tout à coup des prospectus de Sidi, qu'il agita en direction des participants à la loterie :

— Welcome to ze most class et biautiful restorint in ze weurld! Ambiance jungle and sea! Poulet pourri à volonté et café sans sucre gratos!

— Tu veux qu'y m'licencient? bégaya Sidi après avoir vérifié qu'aucun des vautours à moto ne les avait repérés.

— Licencier? Qu'est-ce que tu racontes? T'as même pas de contrat.

La cagoule était trop petite pour contenir la tête carrée du rabatteur, qui dut s'y reprendre à plusieurs fois pour l'enfiler. Le résultat fut à la hauteur de ses efforts. À l'exception des pupilles (les siennes) et du cou (le sien), sa gueule paraissait celle d'un gallinacé ahuri qui aurait reçu des coups de bâton. Ses chaussures étaient tout aussi remarquables. Ni talon en dur, ni lacet, mais d'imposants cubes en moumoute grise.

— Tes patrons, ils se sont trompés de chouzes, fit Biram en se retenant de rire. Ça n'a rien à voir du tout avec des pattes de poulet, ça. Éléphant, c'est pas poulet. S'il t'arrive quelque chose, tu ne peux même pas sauter. Au fait, tu sais à combien de kilomètres/heure ça court, un éléphant?

Sidi reprit ses prospectus des mains de Biram et débuta sa tournée. Il se moquait bien de ressembler à de la volaille, à un éléphant, à une vache normande ou aux trois à la fois. Ce qui le dérangeait, c'était la mauvaise qualité des déguisements. Aucun d'eux ne résistait à l'eau. À la moindre rincée, leurs poils rebiquaient et dégageaient une odeur de bouc. Il marchait avec sa pile de dépliants sous le bras et Biram le suivait, têtu et emmerdant :

– 20 km/h, ça court un éléphant. Mieux qu'un poulet. Sauf que le poulet, lui, il sait voler tandis que l'éléphant, à moins de s'appeler Dumbo, y a zéro chance pour qu'il décolle.

Sans se retourner, le rabatteur leva la main :

– Salut. On s'verra plus tard. Puis il s'enfonça dans la ruelle et fut aussitôt encerclé par des touristes qui désiraient le prendre en photo.

Biram s'était éloigné. À l'entrée d'un pub qui puait le pissat, il contemplait la chaussée jonchée de mégots et de canettes de bière vides. « Les British ont fait la java toute la nuit », songeait-il. Ils étaient les seuls à pouvoir s'offrir une cuite pareille. À Tenerife, chaque communauté avait sa spécialité. Les Français piquaient dans les magasins et marchaient beaucoup. Les Italiens n'avaient honte de rien. Les Russes se teignaient les cheveux. Les Espagnols dansaient comme des pieds, les Américains blancs aussi. Les Allemands ne souriaient jamais et les Asiatiques achetaient des tennis blanches. En y réfléchissant bien, c'est dingue tout ce qu'il avait appris sur tous ces étrangers en si peu de temps. Il connaissait le nom de leurs présidents et les marques de leurs voitures. Il savait ce qu'ils consommaient au petit déjeuner. Il était capable de dire dans leur langue *Je t'aime. Bonjour, comment ça va? Cadeau. Ristourne. Mode. Il fait chaud. Vous venez d'arriver? Vous partez quand? Hôtel. Très joli. Se faire plaisir. Merde. Bon marché. Adresse email. Demain. À quelle heure?*

Plus rien ne l'étonnait. Il saurait se débrouiller n'importe où s'il avait un jour la chance de quitter l'île. La vie était mal tournée. Dans ses années d'école, c'était l'américain qu'il se promettait d'étudier, pas l'espagnol. Il considérait l'Espagne comme un pays de pauvres et, pour rien au monde, il n'aurait perdu son temps à apprendre un dialecte de cul-terreux. Aujourd'hui, non seulement il rêvait en espagnol, mais il pouvait même l'enseigner aux aventuriers sénégalais qui venaient d'arriver.

Il écrasa du pied une canette de San Miguel : «Vraiment, la vie a des dents.» Il réfléchit aux moyens de rembourser son fournisseur Kin. Sans sac à dos, sans marchandise à revendre, il devait à l'Asiatique près de 200 euros. Il n'attendait aucune faveur de l'homme qui le soupçonnerait d'avoir inventé des craques à seule fin de se soustraire à sa dette. Kin n'avait aucune confiance dans les modou-modou qui travaillaient pour lui et qu'il avait surnommés, sans qu'on sût pourquoi, *les Jackson*.

Le Sénégalais caressa du pouce le Motorola qui gonflait sa poche. Avec la baraka, il en retirerait une bonne somme, qu'il compléterait des quelques billets que lui avancerait sûrement Grand-Vieux, le fournisseur malien d'El Fraile. Le mardi matin, Grand-Vieux descendait au Burger King de la corniche pour liquider ses bijoux invendus. De la quincaillerie, d'accord. Mais, au prix où elle était, il ne fallait pas se montrer trop exigeant. La vente privée s'organisait dans les toilettes du restaurant. Grand-Vieux dissimulait son stock toujours dans la même chiotte, en hauteur, derrière le réservoir de la chasse d'eau. Vous entriez. Vous refermiez la porte derrière vous et vous sélectionniez votre marchandise. Pour ne frustrer personne, le Malien n'autorisait pas plus de dix articles par modou-modou. Le temps, lui aussi, était limité : cinq minutes maximum. Au-delà, les caissiers du Burger auraient saisi la combine et tout le monde aurait été mis, dès le lendemain, potron-minet, dans un avion. Mais Grand-Vieux était déjà parti lorsque Biram poussa les portes du fast-food.

Sur le guide *Tenerife 2004*, on raconte que trente mille visiteurs s'entassent chaque week-end sur les plages du sud. Un chiffre à multiplier par trois à quelques jours de Navidad, où, partout sur le sable, le même motif monotone se répète : corps roses sur draps de bain en couleur face à la mer. Le spectacle dure jusqu'à seize heures, lorsque les chairs, saisies par les feux du soleil, s'avachissent en terrasse, avec un verre, un mauvais livre ou absolument rien entre les mains. Dans la rubrique intitulée *Incontournables*, on recommande l'église, la place de l'église et cette rue archi-ancienne qui mène à la place de l'église. Et surtout : les dauphins sauteurs, le coucher de soleil de dix-huit heures trente-trois, un parcours de santé niveau rouge pour les handicapés, la foire artisanale du dimanche matin, la place des portraitistes comme à Montmartre, les plus belles *views* et ce rata de bars, de pseudo-casinos et de dancings que cette côte d'à peine une dizaine de kilomètres est capable de contenir.

Tout n'est pas mentionné. Le guide n'évoque pas les modou-modou, encore moins les «fatou-fatou», ces coiffeuses de rue africaines aussi solides que des paysans russes sans terre et accoutrées comme des miss Dakar : french manucure, boubous couture, mules argentées ou dorées, selon le sac, sourcils mauves trafiqués au crayon. Ça s'appelle *patiana* (l'argent), ce qu'elles sont venues prendre en Europe, c'est ce qui les fait tenir debout lorsqu'après dix heures et quelques d'activités manuelles, chargées de toute leur artillerie, elles coupent par la plage venteuse pour attraper un bus de nuit et rentrer chez elles, un appartement pas toujours à leur nom, sommairement meublé, sauf dans la chambre. Une vraie remise de magasin, cette pièce ! Un grand placard en somme, rempli de magnétoscopes de marque identique, de casseroles de différentes tailles, de couvertures, de vaisselle ou de robots ménagers encore emballés.

Biram longeait la corniche lorsqu'il aperçut une unité de fatou-fatou à l'assaut d'une bande de vacancières. Il se doutait de ce qui se passait : les Blanches hésitaient à dépenser leur argent pour des tresses qu'elles arracheraient d'ici quarante-huit heures et qui leur cuiraient le crâne. Les autres s'échinaient à leur vendre leur pack Noël : décoration d'ongles + coiffure (*tête ou demi-tête*) + frictions au beurre de karité pour *casser les graisses*. La négociation s'interrompit à l'apparition des flics. L'une des tresseuses bondit. Un sacré saut. Comme lorsque Jack le clown sort de sa boîte. Les Fatou embourrèrent immédiatement leurs sacs et fusèrent dans la rue de l'église en semant derrière elles une nuée d'élastiques, de mèches de cheveux synthétiques et de perles bariolées. Lancés à leurs trousses, les motards de la Guardia forçaient sur leurs klaxons de bécanes. Ils se marraient sous leurs casques à visière solaire et ne freinèrent qu'au moment où les fuyardes laissèrent échapper le reste de leurs ballots. «Hijos de perros», maudit Biram en voyant les roues des vautours écraser les produits éparpillés sur la chaussée. «Ça pue ici.»

Quatre poussettes trois roues, cent soixantedouze vieillards en slip, une dizaine d'étrons frais de chiens, neuf ballons à regonfler, un vendeur de snacks sucrés, trente paires de Havaianas, deux paniers de basket, cinquante-sept *sombrillas*, dix-sept panneaux de bienvenue rédigés en trois langues, quarante-sept paires de seins nus aux carrures d'escalopes, voici ce que la conscience du garçon enregistra tandis qu'il descendait l'abrupt escalier de pierre conduisant à la plage de Las Vistas et qu'il songeait : «Regarde-les! Ils sont vieux, ils ont une peau de radis, ils sont vilains comme des hyènes, mais ils n'ont pas honte. Ils ont le droit d'être peinards. Ils savent qu'aucun flic ne va leur tomber dessus.»

Il fixa un couple installé à quelques mètres devant lui. Occupée à beurrer des sandwiches à la mortadelle, la femme, une bagatelle d'un mètre soixante à peine, bêlait aux oreilles de son mari. Elle rouspétait, pour commencer, contre cette chambre d'hôtel qu'ils occupaient depuis une semaine avec vue sur la moitié d'un parking et où l'on entendait les cris des voisins. Elle s'en était plainte à la

réception qui, à chaque fois, lui avait scandé cette
rengaine : que c'étaient des jeunes et que c'étaient
les fêtes. Résultat : elle avait passé six nuits à maudire ces *jeunes* et à tenter de se rappeler comment
elle était, elle, à leur âge. Elle ne supportait pas non
plus ces femmes de ménage qui, n'entendant rien à
la propreté, à l'hôtellerie et au français, profitaient
que vous étiez dehors ou aux toilettes pour faire vos
poches. Elle détestait les deux ascenseurs de l'hôtel
et leurs odeurs mal camouflées de pisse. Les escaliers tavelés de chiures de cafards la répugnaient,
tout comme la moquette *boucles & relief* dégarnie
du hall, les doubles rideaux déformés du bar, les
sourires d'obsédé sexuel du personnel masculin.
En résumé, elle ne comprenait pas qu'on fût aussi
minablement accueillis sur une île où le soleil était
jaune toute l'année et où la population ne crevait
pas encore du choléra.

Son sandwich au bec, elle tourna le dos à son
époux et, s'allongeant sur un drap de bain, révéla
l'étendue de sa calvitie. Elle n'avait pas un caillou
sur le crâne et visiblement pas les moyens de s'offrir un Motorola, songea sardoniquement Biram
en identifiant, sur la serviette, les chiffres de l'hôtel bas de gamme où le couple était descendu. Il
n'y avait pas plus plouc que les clients de l'*Agua
Mar*. Plage, bar-tabac et supermarché, c'est tout
ce qu'ils connaissaient, en dehors de leur chambre.

Des criquets, qui ne se baladaient jamais sans leur banane deux compartiments à la taille, leur plan gratuit du quartier à la main et leur short en lin trop mou sur les fesses. Qui se prenaient pour les rois du monde parce que lorsqu'ils regagnaient la nuit leur hôtel, les lumières de l'entrée s'allumaient et les portes du hall étaient automatiques, que tout roué et lascif qu'il était, le personnel avait parfois un message sous enveloppe à leur remettre ainsi qu'une carte magnétique en guise de clef. Parce qu'ils étaient libres de se lever de leur lit sans le faire et de salir les waters sans tirer la chasse, qu'ils avaient droit, quotidiennement, à un gel mixte douche/shampoing intact, une serviette pliée en portefeuille sur le cul d'une chaise et un bonnet de douche imperméable jetable.

Le regard de Biram se déporta pour suivre la trajectoire irrégulière d'un ballon de basket. Derrière une triple rangée de transats, de jeunes Anglais torse nu disputaient une partie, sous les hurrahs de compatriotes que le moindre panier marqué ou manqué semblait mettre en transe. On distinguait leur petite culotte et le fuchsia des bulles de leurs Chiclets lorsqu'elles hurlaient. C'étaient les mêmes gamines qui remplissaient les clubs et les bars du quartier de Las Véronicaas. Qui soulevaient leurs T-shirts et sautillaient sur les tables aussitôt le coup d'envoi donné, généralement autour de minuit.

On avait baptisé ces performances nocturnes les concours de *guanabanas*. Un jury votait et la poitrine la plus émouvante gagnait deux coupes de cava. Pour le reste (combien de temps se remuaient précisément les candidates et comment se comportaient les spectateurs), Biram n'était sûr de rien, il n'était pas un habitué des lieux. Il se sentait même plutôt dépaysé dans ce quartier, n'étant ni anglais, ni blanche, ni black. Il valait probablement mieux être l'un des trois pour s'accommoder de l'ambiance, en avait-il conclu une nuit qu'il s'était aventuré au *Chica-Chica*, le dancing légendaire de Las Véronicaas. Engoncé dans sa chemise à bâtons marine et son Diesel coupé droit, il avait passé la soirée assis, sans oser se lever pour se rendre aux toilettes ou se baisser pour renouer ses lacets de souliers. Ce n'était pas le toupet des paillardes ou le barouf du diable des British qui l'avaient consterné, mais tout l'attirail des *frères noirs* sur la piste : leur haleine whisky/chewing-gum, leurs perles en bois autour du cou, leurs mimiques de grimaciers et leur pull grand V rentré dans un jean inutilement large. Il avait quitté le club et s'était senti sale, comme si quelqu'un l'avait insulté ou venait de cracher au visage de sa mère. Comme s'il craignait d'être lui-même devenu ce black-à-Blancs, faussement *in*, faussement décontracté. Qu'étaient devenues sa culture, sa mentalité, sa moralité ? Depuis

combien de temps ne s'était-il pas adressé à Dieu ?
Il avait rêvé d'être un homme, mais l'Europe mangeait les hommes. Elle les transformait en bâtards
et en pantins.

« Allez ouste ! » Il venait de repérer deux
métrosexuelles blond maïs cinquante ans à vue
de nez, du genre à boire du coca light et à passer
des heures au téléphone. Chaussées de sandales
extrafines et habillées aussi courtement qu'aurait
pu l'être leur fille, elles progressaient sur la plage
avec le même enfièvrement que si elles avaient
longé une avenue bordée de boutiques de prêt-à-
porter un jour de soldes, en piaillant, de sorte qu'il
était impossible de leur attribuer une nationalité.
American ? C'est ainsi que Biram les aborda, avec
son mobile à clapet tendu vers elles. « Libanaises »,
rectifia la plus peinturlurée des deux en effleurant
du bout de ses doigts boudinés par la chaleur le
Motorola dont le garçon s'empressait d'activer
l'écran : « 2GO de mémoire interne et sept heures
d'autonomie. Vous avez aussi un capteur photo
de 2 mégapixels avec Flash pour lire les vidéos.
Quand vous ouvrez, ça glisse, aucun bruit. Et le
luxe : c'est l'écran, on dirait un bijou. Vous pouvez
marcher avec, dormir avec, manger avec, rire avec,
rêver avec. » Indisposé par l'odeur de cosmétiques
des femmes, Biram avait reculé et les regardait

ausculter l'engin. Leur bouche, de scepticisme, était plus tordue qu'un S. Malgré leur gloss et leur or, elles ressemblaient à deux commères de marché, obsédées par telle variété de carottes ou tel lot de soutiens-gorge cœur croisé bonnets profonds. À deux grigous.

— Il faut me comprendre, rétorqua Biram après qu'elles eurent décrété en canon un « trop cher ». Si je diminue, je perds. Ce cellulaire, c'est de la crème, c'est seulement pour les people et les ladies qui ont du style, comme vous. Cent vingt euros, c'est tout ce que je peux faire. C'est mon cadeau de Noël. Tu mets soixante et ta copine, pareil.

Mais les Libanaises pinaillaient et juraient n'avoir que *ça* sur elles : un stock de pièces jaunes et un billet roulé en boule dont Biram se serait contenté s'il n'avait eu à rembourser Kin. Qu'il aurait empoché sans râler, au motif que le premier client de la journée porte toujours chance.

— Désolé mais j'suis pas le père Noël.

Il considérait à présent les typesses avec hargne. Elles méritaient d'être déplumées et balancées à l'eau. Récupérant l'objet, il se tailla une voie entre les ballons, les transats et les parasols et revint se ranger au pied des escaliers.

Les Français de l'*Agua Mar* avaient levé le camp. D'autres, les mêmes dans une version plus mugissante, les avaient remplacés ainsi qu'une femme en chapeau qui sculptait dans le sable, une brouette pliable vide garée à ses côtés. Son corps était énergique, ses seins coniques sous un débardeur où fleurissaient des anneaux de sueur. C'était la première fois que Biram voyait un adulte en train de jouer avec du sable. Au Sénégal, seuls les enfants bâtissaient des châteaux, que les vagues anéantissaient en une seconde. Dans un instant de nostalgie et d'abandon, il se représenta la plage de Mbour, ses enfants et ses chiens. Il s'y trouvait aussi et nageait longtemps, longtemps, jusqu'à la crampe. Il se rappelait notamment ce jour où, pour dominer la mer, il était demeuré à l'étage de La Signare jusqu'au soir, la rogne de sa tante Maguette et la correction de Moktar lorsqu'il avait fini par rentrer à la maison. Il n'avait plus jamais recommencé. Il avait grandi sans faire d'histoires jusqu'à son départ de Mbour.

Il se souvint du chauffeur de la huit places qui l'avait conduit à Dakar des années plus tôt. L'homme avait dit : «Aussitôt que l'être humain sort du ventre, il cherche à partir.» *Partir.* Il avait continué à causer tandis que derrière la vitre, sur la nationale 1, régnait le bordel habituel : crachats de pots d'échappement, klaxons, gargouillis des moteurs, désordre à peine plus tenable que celui qui l'habitait, lui, Biram. Le silence était revenu après la station Shell de Rufisque, la CBAO de Thiaroye, l'usine Philip Morris, Tivaouane, Pikine, Le Technopole, le Golf Club, la gare routière des Pompiers. Quand il n'y avait plus eu, entre le gosse et la grande ville, que le goudron à traverser.

« *Partir*, qui peut comprendre ça ? » Biram croisa les bras. « À les entendre (il parlait des Européens), il ne faudrait mettre les pieds chez eux que pour prendre des photos, et bon vent ! Bon débarras, retour à la case départ. »

– S'il vous plaît ?

À croupetons devant une sirène de sable blanc à peine plus grande qu'un buste d'enfant, l'étrangère au chapeau de paille faisait signe à Biram d'approcher.

– J'ai un poisson à transporter.

Elle désignait son œuvre incrustée de bris de coquillages.

Biram s'avança, renfrogné et méfiant. Certaines Toubabs étaient de vraies timbrées. À n'importe quel moment, il pouvait leur passer n'importe quoi par la tête, et elles se mettaient alors brusquement à dérailler. En juin dernier, l'une d'elles s'était ouvert les veines dans la mer.

« En voilà encore une qui n'a rien à fiche de son temps », supposa-t-il en jetant un œil circonspect sur le pâté de sable sculpté, la pelle et le seau en plastique de la vacancière. Une fillette de quarante piges à la plage.

— Votre truc, vous voulez qu'j'en fasse quoi exactement ?

— Il y a une bâche en dessous. Vous prenez deux pans, je m'occupe des deux autres. On la pose dans la brouette, et c'est tout. On aura plus qu'à la remettre à l'eau.

Biram déglutit. Ouais. Certaines Toubabs étaient vraiment timbrées.

— La seule chose que je vous demande, c'est d'y aller doucement. Ce sable est traître, on dirait du polystyrène.

La sirène déposée dans la brouette, Biram se déchaussa, retroussa le bas de son jean et suivit la femme jusqu'à la mer, à présent grise et mousseuse.

— D'ailleurs, il n'est même pas d'origine, leur sable. Ils l'ont fait venir, tout comme ils ont rapporté les rochers. Quand je pense qu'avant, il y avait un village ici, une église, un petit port et des pêcheurs. C'était naturel, avant.

Debout face à l'Atlantique, la femme à la brouette bavardait tandis que Biram contemplait ses propres pieds enrobés de corne. Il était agité de pensées contradictoires. D'abord, la honte. Il se sentait coupable de lambiner quand ses copains de *la calle* arpentaient depuis bonne heure ce matin la ville, pareils à des mules, leur camelote sur le dos et leurs jambes en compote. Et aussi l'orgueil. Il était fier d'avoir *fait l'aventure* et franchi les frontières. Heureux d'avoir survécu à cette mer que l'on bourrait de cadavres pour ne pas couler, ce tas de flotte en colère qui vous travaillait les boyaux, vous faisait crotter de peur avant chaque assaut et même après, lorsque la pirogue en mille morceaux avait été interceptée par les gardes-côtes espagnols et qu'on les avait, eux, les dix hommes qui restaient, transportés au Centre de rétention. La mort était partie mais l'affolement était demeuré. Biram regardait ses pieds d'aventurier. Il avait peur.

Elle se retourna vers lui :

– Je vous laisse faire ? Vous inclinez légèrement la brouette et elle s'en ira toute seule.

Il hésitait. La mer était froide, une cuvette d'eau froide qui aurait passé la nuit au frigo. Il fallait être d'une outrecuidance inouïe, ou, au contraire, désespéré pour s'y baigner. Il fallait surtout ne pas avoir de plomb dans la tête, comme lorsqu'il était gosse et que l'océan, la grande eau tout entière, s'offrait à lui. S'emparant à contrecœur des poignées de la brouette, il s'enfonça jusqu'à mi-mollets dans l'écume où il déversa son chargement.

– Bon voyage ! On ne la reverra pas de si tôt. Je vous invite à déjeuner ? Ça vaut mieux qu'un merci.

La femme démonta sa brouette en un tourne-main et la logea dans un grand sac en toile. Ils remontèrent ensemble vers la promenade sans qu'elle pût remarquer que l'expression du Sénégalais avait changé. Qu'il y avait dans ses yeux, en plus de la honte, de l'orgueil et de la peur, une forme de perversité. Une méchanceté spéciale dont on ne parlait jamais à la télévision, une cruauté exotique puisqu'elle germait uniquement dans la cervelle de garçons comme Biram, chaque fois qu'ils se figuraient avoir affaire à une *vieille salope*.

Les vieilles salopes. Des Blanches mûres, grand minimum quarante-cinq ans, prêtes à beaucoup pour s'offrir un nègre vert et membru. Des sensibles dégoulinant de tendresse et d'amour inquiet, capables d'avaler des barbituriques. S'empressant, sitôt bécotées, de jouer à la maman, à l'impresario, à la boniche. Pas toujours appétissantes, mais toujours volontaires. D'une résistance maladive aux coups bas, tolérant qu'on les trompe, qu'on leur mente, qu'on leur vide leur compte en banque au prétexte que ceux qui les dupent sont de culture, d'âge et de couleur de peau différents. Mais gaffe, elles ne sont pas complètement pommes non plus, les vieilles salopes. Elles n'hésitent pas, lorsqu'elles n'y trouvent plus leur compte, à retirer leurs billes et retomber sur leurs pattes de ménagères. En fait, elles portent bien leur nom, les vieilles salopes.

La tête bouffie de Pilar Suniaga vint à l'esprit de Biram. Il se demanda pourquoi la mémoire était si poreuse et aimait à s'encombrer de détails superflus. Il ne l'avait croisée qu'une seule fois dans sa vie, mais avait bien perdu deux heures à l'écouter. Il n'avait pas pu faire moins. Autrement, elle se serait emballée et les aurait dénoncés à la police, lui et ce guignol de Pape dont elle s'était amourachée. C'était l'époque du Ghetto et de la villa Pikine, à Dakar. Trois ans après avoir fui Mbour, Biram avait emménagé dans ce quartier populaire de la capitale avec une dizaine de garçons spécialisés dans la fabrication de faux passeports. Trouver les clients, c'était leur job avec Pape, un métier d'avenir puisque toute la jeunesse rêvait de quitter le Sénégal. C'était comme d'être agents secrets, personne ne devait savoir qui était qui et qui trafiquait quoi. Officiellement, la villa Pikine n'était qu'un squat d'artistes émergents sachant bricoler des tambours, barbouiller des toiles inspirées, et travestir les tissus bas de gamme des Libanais en bogolans, indigos et batiks, par la grâce de teintures industrielles. La pacotille inondait les marchés à touristes, mais il arrivait que ceux-là vinssent faire leur shopping directement à la villa. Alors, on les accueillait comme ils adoraient l'être, avec un abracadabrant proverbe peul en guise de bienvenue, du Youssou

N'Dour ou les frères Guissé en fond sonore, et un jus de bissap à l'eau minérale bien encapsulé.

Pilar et Pape s'étaient rencontrés là-bas. Le soir même, ils avaient forniqué dans le deux-pièces climatisé que la Blanche louait sur la corniche. La romance avait démarré, elle lui avait payé des cadeaux de plus en plus coûteux : cigarettes, cartes téléphoniques, brochettes, gadgets, médicaments pour la famille, carburant pour sa pétrolette, sacs de riz, portable avant-dernier cri, parcelle de terrain aux Mamelles. Elle avait lâché un million pour la construction d'un puits dans un village fantôme de Casamance. Elle avait même souhaité l'épouser et se convertir à l'islam. Jusqu'à ce qu'elle découvrît qu'il en avait une autre, plein d'autres, qu'il traitait et comblait identiquement. Si Biram ne se rappelait plus les *Quatre vérités* que la Madrilène lui avait serinées sur Pape, les hommes et l'Homme noir en particulier, il se souvenait parfaitement de la série d'arguments qu'il avait dû inventer pour l'enjôler. Que Pape, ce pitre, avait toujours eu peur de tomber amoureux au fond, qu'enfant, sa maman qui n'était pas sa mère l'avait battu comme plâtre. Que son cœur était aride parce qu'on lui avait jeté un sort. Qu'Allah, qui connaît les hommes comme sa poche, leur avait permis de posséder jusqu'à quatre femmes, à condition qu'ils en eussent les moyens. Mais qu'elle, Pilar, elle devait remercier Dieu parce qu'il n'y avait personne d'autre qu'elle, Pilar, dans la peau et dans la chambre de Pape. Cette même chambre que l'Espagnole avait saccagée avant de pleurnicher et de se moucher fort. Son nez avait paru un groin. Sa gorge avait boursouflé, tout comme ses seins soutenus par rien, stockés sous un corsage trop serré.

Comment Pape avait-il eu le cran de dormir avec *ça* ? Comment avait-il procédé, techniquement ? Quelles positions, et puis aussi combien de fois ? Tandis qu'il raccompagnait Pilar à sa voiture et lui arrachait la promesse qu'elle ne porterait pas plainte contre Pape ni ne se suiciderait, Biram ne pouvait s'empêcher de songer à la façon dont son copain s'y était pris pour le *faire* avec elle. Il n'osait toujours pas dire « baiser ».

« Ça va aller, Pilar », avait-il affirmé en refermant la portière. Elle, avait répondu : « J'ai besoin de décompresser », les yeux séchés à l'essuie-tout, ses mains courtes et organisées collées au volant. Elle avait désiré rentrer en Espagne.

Marchant derrière l'étrangère, Biram désirait l'humilier. Mettre en pièces son dos droit et ses mollets fermes de vieille majorette, sa bonne humeur de midi, le revers parfait de son bermuda à fleurs sans tiges. Trouver quelque chose, une insulte, un geste (bras d'honneur, crachat) qui la rabaisserait. Et alors, il s'esclafferait en la voyant rougir comme une voleuse pincée en train de chiper un string dans un grand magasin.

— Vous attendez quoi de moi, hein ? Vous m'prenez pour un petit mendiant ?

La femme ôta son stupide couvre-chef. Ses yeux étaient verts, avec du jaune dedans et des cils lourds et mouillés comme les Marocaines.

— Je ne voulais pas vous embêter, fit-elle avec bienveillance. J'aurais agi de la même façon si vous aviez été une vieille dame. Je suis déjà maman, vous savez. Je dois même avoir l'âge de la vôtre.

— Moi, j'ai vingt-quatre ans, rétorqua Biram, le regard bagarreur. Il était troublé. Celle-là n'avait pas le profil de la *vieille salope*. Elle était plutôt élégante et détendue.

Il inspira et remplit ses yeux de ciel et de soleil. En haut, un cerf-volant en forme de poisson-chat traçait des huit. Elle s'appelait Hélène.

— Je m'appelle Biram Seye Diop. Pour manger, il y a le Grec. Ce n'est pas le number one, mais c'est correct, clean et discret.

Il ne tenait pas à être aperçu en compagnie d'une Toubab. Les copains le charrieraient.

Ils atteignirent le *Poseidon*. Une serveuse les invita à s'installer au premier et à commander le menu numéro 3, à 23,50 euros avec dessert et boisson au choix. Ils traversèrent une première salle, gravirent les marches d'un escalier en béton et pénétrèrent dans une petite pièce qui sentait les pieds et la crème solaire. Ils s'attablèrent à deux pas des toilettes turques et attendirent plus de trente minutes qu'on leur apportât une corbeille de pain sec, une bouteille d'eau gazeuse dégazée ainsi qu'un Coca-Cola que Biram décapsula avec le manche de sa fourchette. Elle mangea lentement, il vida son assiette. Puis elle appela l'employée qui leur remit la carte des desserts.

— Vous n'êtes pas bavard, jeune homme.

— J'ai rien à raconter.

— Cela n'existe pas les gens qui n'ont pas d'histoire. Vous êtes d'ici?

— Non.

— D'où venez-vous alors?

— Vous ne connaissez pas.

— Il paraît que c'est beau, Las Palmas.

Elle parcourait d'un œil distrait le quatre pages plastifié dédié aux glaces.

— Si vous voulez y aller, y'a *L'Ustica Lines*. C'est que des gros bateaux.

Il songeait à ce jour où il avait embarqué sur le ferry qui reliait les deux îles. Il avait espéré alors ne plus revenir en arrière, qu'après Las Palmas, il y aurait eu Madrid, etc.

— Vous y êtes déjà allé, vous?

Il haussa les épaules et avala sa montagne de glace en silence.

— La dernière fois que j'y étais, dit-il, après avoir raclé les bords de sa coupe. Ça a duré une journée. Le temps d'enterrer des collègues et c'était fini.

Lorsqu'elle trouva quoi répondre à cela, Biram s'était déjà levé.

— Je n'ai pas votre temps. Je dois aller travailler, fit-il de cette voix qu'il appelait *pour Blancs* puisqu'il ne s'en servait qu'en leur présence, lorsqu'il cherchait à les intimider. Il se l'était façonnée quelques mois après son arrivée à Dakar alors qu'il travaillait comme gardien dans une auberge tenue par une Bordelaise. Ce n'était pas réellement un établissement hôtelier, mais au moins y trouvait-on une enseigne, un livre d'or, un cuisinier, une allée de bougainvillées, des chambres surnommées *La Papaye, La Mangue, La Coco, L'Hibiscus*, en plus de filles fournies le week-end à certains vacanciers, avec les draps, les moustiquaires imprégnées et le *continental breakfast*.

« Gardien » était un grand mot. Dans les faits, Biram était le *boy* chargé de rafraîchir les sanitaires, ressusciter la literie, rafistoler la tuyauterie, asperger les pièces de déodorant au coco ou à l'hibiscus afin que la clientèle porcine qui s'y allongerait n'ait rien à redire quant au sérieux et à l'hygiène du personnel sénégalais. Ils l'auraient chicané, lui, Biram, qu'il leur aurait répliqué de cette voix sèche *pour Blancs* : « Je t'emmerde et je t'emmerde d'abord. »

Biram s'était rapproché d'Hélène.

– J'allais vendre un portable quand vous m'avez demandé de vous aider : cent trente. Je peux vous le laisser à quatre-vingt-dix. OK ? – Il déposa le Motorola sur la table – C'est même pas le prix de quatre menus.

Il la regardait droit dans les yeux, avec cette cruauté invisible à la télé, avec le seul poids de ses préjugés.

– Je peux vous donner soixante-quinze, bredouilla-t-elle au bout d'un instant en ouvrant son portefeuille en veau souple. Elle se sentait brusquement vieille, riche et blanche.

– Ça va, dit Biram en empochant l'argent. Il quitta le restaurant, régla son regard sur la ligne d'horizon et gagna la place où l'autocar pour El Fraile s'apprêtait à démarrer.

Biram arriva trop tôt à Little Africa. Babacar Ba, dit Grand-Vieux, n'était pas encore rentré. « Il est en route, mais les autres sont là, eux », l'informa son épouse en le faisant entrer dans l'appartement que louait le fournisseur. Eux, c'étaient les neveux du Malien, trois frères venus de Ségou que l'homme logeait dans la moins étroite de ses cinq pièces.

L'aîné travaillait dans la mécanique. Le plus jeune était soudeur. Joaquim, le cadet, passait sa vie assis ou bien couché, enveloppé dans des chandails et des odeurs d'aspirine. On prétendait que le climat de Tenerife lui donnait des fièvres, mais Biram n'en croyait rien. Car au Sénégal aussi chaque famille avait son *Joaquim*. Une nièce, un fils, quelqu'un qui, sous couvert d'une santé délicate, vivait aux crochets des siens, flemmardait dans leur case, au milieu des meubles et des bibelots.

Biram suivit Madame Ba dans sa cuisine et supporta avec flaccidité son monologue : un assortiment de potins, de considérations météorologiques et d'interjections. Appuyé sur le bord d'une table, il étudiait la pièce : le réfrigérateur américain distributeur de glaçons gros comme des icebergs, la machine à café chromée, le blender multifonctions, le four mixte micro-ondes et gril, le jeu de plaques croque-monsieur et le grille-pain deux tranches nickel. Dans l'espace séparant le vidoir de la fenêtre encadrée de rideaux bonne femme à fleurs, il y avait, enfin, la photo encadrée d'un homme à barbe triangulaire, aux cheveux défrisés coiffés raplapla sur le crâne.

— C'est Grand-Vieux ?

— C'est lui, se réjouit Sodio en s'approchant du portrait imprimé sur papier glacé. C'était sa deuxième fois à La Mecque. C'est *MMV*,

Mali-Mecque-Voyages, qui organisait tout. Pour 2 millions, il a été reçu comme le pape. C'était un *paquège* tout compris.

Ba retroussa les lèvres et, durant un court instant, fut l'incarnation de l'orgueil : le sien, celui de Grand-Vieux, mais aussi de toute une famille où les Hadj, ceux qui avaient eu l'argent et le privilège d'accomplir ce cinquième pilier de l'Islam (aller à La Mecque), se comptaient à peine sur les doigts d'une main.

Biram caressa rêveusement ses joues imberbes :

— Si j'avais 2 millions, moi, je partirais en croisière dans les Caraïbes.

La femme du Hadj lui tendit un soda 2 litres et des gobelets :

— En attendant Grand-Vieux, va rejoindre les garçons.

Les rideaux de leur chambre étaient tirés. On ne distinguait qu'une armoire à linge à double battant, un poste de télévision allumé ainsi qu'un canapé d'angle qu'occupaient les neveux.

— Salaam aleikoum. Ça boume ?

Biram serra chaque main puis s'assit entre deux frères pour regarder la télé. Dans un roulement de fesses magnétique, une Noire au teint clair traversait une véranda, pénétrait dans un salon peuplé de jeunes filles qui piaillaient si fort qu'on avait l'impression de se trouver soi-même dans la pièce,

Faire l'aventure

de renifler leur parfum, d'apercevoir, sous leurs boubous, la dentelle de leur string ou de leur petit pagne. Les images étaient mal cadrées et légèrement floues. On aurait dit un soap-opera tourné par un amateur.

— C'est une parente à nous qui vit à Koutiala qui nous a envoyé ça, expliqua le mécano en remplissant à ras bord les timbales. Koutiala, c'est un petit Paris. Au niveau femmes, y'a le choix. Toutes celles que tu vois là sont à marier. Elles se filment, elles t'envoient leurs cassettes et toi, tu choisis.

Deux tendrons taille mannequin et à peau couleur javel apparurent en gros plan. Celle à lunettes s'appelait Béka et apprenait le secrétariat à l'école polyvalente de Bamako. Celle de gauche avait l'œil lourd et claqué de Marie-José Pérec, elle rêvait d'un salon de coiffure en ville avec pédicure, manucure, sauna. Les deux minaudaient à la manière de la teint-clair : «Bonsoir l'Espagne. Ça va? Vous allez bien? Bon, en tout cas, nous, on est là et on pense à vous beaucoup.»

Le soudeur s'émut après que la caméra eut révélé les chevilles et la nuque fines de l'aspirante coiffeuse :

— Les mannequines, c'est mon style.

Idem pour le faiblard quand le benjamin, lui, raffolait des Africaines rondes bien outillées.

— Et toi, Biram, tu votes pour qui?

Le Sénégalais tordit la bouche, et l'instant d'un songe, se vit debout, puis affalé sur le sable caillouteux de Mbour. Une adolescente en culotte était couchée près de lui. Il contemplait son visage confiant, sa grappe de nattes mouillées constellées de perles. Il hésitait à la réveiller et se lançait des défis. « Si à sept elle ouvre les yeux, je l'embrasse. » Ce qu'il avait fait, après s'être assuré que la plage était déserte, et que la gamine était consentante. Marème… Il n'osait prononcer son prénom, comme s'il redoutait de l'abîmer, ou qu'un voleur le lui chapardât. Ce souvenir-là était sa propriété. Il en était le maître, et le chien, puisque des années après son départ de Mbour, il continuait à le garder pour lui.

Il avait longtemps souffert de la perte de Marème. Il s'était amolli et coltiné un de ces chagrins vains et diffus comme en ont les Français dans les films. Il n'avait jamais raconté cette fantaisie aux copains. Devant eux, il appelait les femmes *Les substances*. Il en accolait peu. Il n'était pas un viveur et ne s'attachait pas.

— Pour qui donc tu veux qu'il vote ? C'était le mécanicien qui jasait. Diop, c'est un Babylonien. Il vote blanc. C'est les Étrangères, maintenant, sa clientèle.

Biram ne discuta pas. Tenerife était un village. Quelqu'un avait dû le voir entrer chez le Grec, avec la Blanche. Et le tam-tam avait fonctionné.

La porte de la chambre s'ouvrit. Sodio Ba entra avec un plat chaud et une natte en fils plastique qu'elle déroula sur la moquette.

– Ces filles font leur publicité et vous, vous marchez, dit-elle en jetant un œil blasé sur l'écran. Décrocher un mari qui vit en Europe, c'est leur travail. Vous les voyez, elles sont bien habillées, elles parlent bien, elles sentent du parfum, mais ça s'arrête là. – Puis elle se tourna vers Biram – Babacar vient d'arriver. Il t'attend dans la cuisine.

Débarrassé de ses souliers à bout pointu et pardingue de demi-saison, Grand-Vieux ressemblait à un retraité : lentigo sur le crâne, yeux usagés tirant sur l'azur, jambes croisées. Il mastiquait au ralenti ses frites et feuilles de laitue.

– Qui mange bien travaille bien, formula-t-il du bout de ses lèvres luisantes de sauce vinaigrette en voyant arriver Biram. Puis il lui jeta un regard où pointaient curiosité et gausserie : Où tu avais la tête tout à l'heure ? Je t'ai vu courir comme un fou à *Piramidas*. J'ai pensé c'est le monde à l'envers. C'est les clients qui doivent courir après toi, pas toi après eux. Hein, elle était où ta tête ?

Biram alla droit au but.

– J'ai plus rien à vendre et je dois de l'argent au Chinois.

– Tes comptes avec ton Jackie Chan, je ne m'en

mêle pas. Maintenant, si t'as besoin de vendre, je peux t'aider.

Grand-Vieux rota. Recouvrit d'un torchon son assiette puis dégagea d'un tiroir un sac plastique fermé pas plus volumineux qu'un poing qu'il tendit à Biram.

– Là-dedans, il y a vingt bagues pour dames. Si tu te démerdes pour bien les vendre, c'est ta chance. Dix la bague, c'est ce que je prends.

Après une goulée d'eau, de nouveaux renvois et une bouchée d'un gâteau aussi flasque qu'un flan, il se saisit d'une radio dont il changea studieusement les piles.

– Tu as une femme dans la tête, c'est ça?

Biram fronça les sourcils. C'était la deuxième fois aujourd'hui qu'on lui posait cette question. Et alors? Ce n'était pas une maladie d'en avoir une, de fille dans la tête. Il valait mieux être obsédé par une humaine que de subir le joug d'un esprit succube tyrannique. Ces puissances-là existaient. Elles vous habitaient, vous lessivaient avant de vous déchiqueter le cœur. Ici aussi, en Europe, on pouvait en rencontrer. Les esprits voyagent plus facilement que les hommes.

– Le problème, continua Grand-Vieux, en tournant la molette de son poste, c'est que vous, les jeunes, vous avez le cœur mou. Vous vous emballez pour rien. Si tu veux te marier, tu dois savoir avec qui. Si ta femme est une perle, si les regards vont dans la même direction, alors c'est bon. Le problème aussi, c'est que vous avez trop le choix.

On frappa à la porte. Sodio alla ouvrir à une paire d'Africains qui abordèrent Grand-Vieux avec des salamalecs et une obséquiosité qui sentait l'échec. Ils cherchaient un «pool d'âmes charitables» pour renflouer les caisses de leur association *Diaspora L'intelligent*. À El Fraile, chaque mois, on créait une nouvelle association. Il y avait déjà le *Club des Pêcheurs de Piquine*, *l'Appel des Sénégalo-Cap-Verdiens*, *la Reine des Tontines d'or*, *le Comité des Femmes Leaders d'Entreprise*, *l'Amicale des Tresseuses sur banc*, *le Groupement des Conteurs*, *Les Derniers Ambianceurs*, *l'Avenir Afrique*, *Senghor Attaque!*

Toutes vivotaient grâce à «la bonne volonté et à l'impeccable solidarité de ses membres» rappela l'un des «organes dirigeants» (c'est ainsi que lui-même se présentait) de *L'intelligent* en jetant un regard envieux à Babacar Ba. En réalité, il s'efforçait de percer son secret, de comprendre comment un tel individu, ni plus beau ni plus instruit qu'un autre et parti d'à peu près rien, s'en était tiré aussi bien. «La solidarité est la clef de voûte de notre continent, n'est-ce pas El Hadj?»

Biram laissa les hommes discuter entre eux et se replia sur le balcon. Il n'avait aucune foi en cette fameuse *fraternité*. Sur sa route d'aventurier, il avait plutôt vu passer des solitudes, des Africains qui, pour survivre, s'étaient affranchis du groupe. « C'est la galère. » Accoudé à la balustrade, il observait maintenant le quartier, ses buissons et ses barres d'immeubles ratatinées, ses rues quadrillées comme des mots croisés et ses travaux continûment en cours. Les feux rouges du grand carrefour n'avaient pas été réparés. La vitrine du Locutorio de l'Algérien avait été caillassée. Un bloc de parpaings gênait l'accès au marché couvert où les ignames avaient un goût de patates, où les mangues sortaient directement de serres et où le poisson était immangeable même après qu'on lui eut ôté les viscères et qu'on l'eut trempé dans un jus de citron. Biram casa la verroterie de Grand-Vieux dans sa poche et quitta le F5 des Ba.

L'ampoule de la cage d'escalier de son immeuble avait encore sauté et Biram dut s'éclairer avec l'écran de son téléphone portable pour introduire la bonne clef dans la bonne serrure. Il faisait froid dans son appartement, presque autant qu'à l'extérieur, suffisamment pour envisager d'aller faire un tour au Lavomatic. Il en connaissait un, rue de l'Atlantique, propre et correctement chauffé. Il s'adossait contre le radiateur le plus puissant lorsqu'il y était. Ses muscles se dilataient d'office et le grondement hypnotique et sourd des machines le berçait. Mais descendre les quatre étages de son immeuble était au-dessus de ses forces. Il valait mieux garder son caban sur soi et se mettre directement au lit.

Des rires éclatèrent au-dessus de sa tête. C'étaient les filles qui logeaient au cinquième. Difficile de savoir à quoi elles ressemblaient parce qu'il ne les croisait que dans l'escalier et que leurs cheveux changeaient de forme et de couleur toutes les semaines. Elles rirent encore et il se demanda quand il s'était lui-même senti gai pour la dernière fois. « Il y a six mois », estima-t-il. Et encore, on ne peut pas vraiment dire qu'il s'était marré. Avec les camarades de la calle, il s'était offert deux kebabs en terrasse avant de mettre les pieds dans la nouvelle discothèque latino *pourrie* de Las Vistas. « C'est-à-dire, réfléchit-il en se glissant sous le plaid du lit une place, je ne suis pas un optimiste. Je ne suis pas un pessimiste non plus. C'est-à-dire : je suis comme je suis. »

Deux heures filèrent sans qu'il éprouvât la nécessité de se lever, qu'il remplit de rêveries, inspirées des films d'aventure et de science-fiction qu'il avait vus enfant. Il chevauchait dans des pampas brûlantes avant de voler dans une soucoupe spatiale qu'il pilotait sans les mains puisque l'engin avait un QI et un sixième sens épatants. Des obstacles de tout ordre surgissaient : l'armée américaine du capitaine Mac quelque chose, des vampires, des Alien, un commando de Terminator. Toute cette racaille agonisait et il devenait le maître du monde, doté de pouvoirs magiques comme celui de disparaître ou de flotter.

La présence de Malek dans la pièce le força à rouvrir les yeux. De retour de sa première journée à El

Fraile, le jeune homme gonflé d'énergie racontait ses aventures. Il avait vu : une plage hyperjaune, des femmes chic très très belles, des boutiques pour richards, un chef de chantier qui cherchait des bras et la fin d'un match de football à la télé. Plus tard, dans la maison des associations où il s'était rendu, on lui avait offert le thé et un sac entier d'habits qu'il vida sur le lit comme une cargaison de pépites. Il y avait là de quoi supporter trois hivers.

Biram applaudit :

— Tu te débrouilles comme un champion. Bientôt, c'est toi le patron du bled !

Mais l'entrain de Malek l'agaçait, sa manière de jaboter dans la chambre comme une demoiselle et d'accepter tout cru ce qu'on lui donnait.

— Si ça se trouve, si je fais l'affaire, s'enthousiasmait le novice, je vais aller bosser en Espagne. C'est ce que m'a dit l'employeur qui m'a filé rendez-vous demain sur son chantier.

Il s'enferma dans la salle de bains et Biram se leva pour regarder par la fenêtre. Il pouvait être aussi bien dix-neuf heures que minuit. La nuit se réduisait à un aplat de noir. Se rasseyant, il considéra l'amoncellement de fripes sur son lit et un sentiment de découragement et de dépit le saisit. Son dix-sept mètres carrés n'était guère conçu pour deux gaillards. Le ballon d'eau chaude trop faiblard n'autorisait qu'une douche tiède par jour.

L'armoire était en mesure de ne contenir qu'un nombre limité de linge et de chaussures. En cas de grand froid, une seule personne pouvait plaquer ses deux mains contre le radiateur électrique du salon. Il entendit Malek siffler sous la douche, *sa* douche. Et il eut honte de sa propre mesquinerie. Deux jours déjà qu'il hébergeait, blanchissait et nourrissait son invité sans aucune cordialité. Il ne s'intéressait pas à sa vie. Il s'était montré insensible lorsque Malek lui avait rapporté sa tragédie libyenne, ses trente-deux jours de prison à Koufra où on l'avait torturé et fait *bouffer du bâton*. S'étant borné à hocher la tête, Biram avait pensé : « Et après ? T'es pas le seul à qui ça arrive. L'aventure, c'est l'aventure. » Pas de cas particuliers. Mais les mêmes routes pour tous, les mêmes tarifs, les mêmes risques. La même merde, quoi.

Son téléphone mobile vibra. Numéro masqué. Il regretta aussitôt d'avoir décroché en reconnaissant le flow d'Alioune Sall, alias *Dechoisy*. Le modou-modou blond Djibril Cissé s'invitait chez lui. Il apporterait du jus de fruits et des beignets. Comme d'habitude, il s'assoirait sur l'unique chaise de la chambre et lui causerait de Paris. Sall avait vécu cinq ans au-dessus du Géant Casino de l'avenue de Choisy. Il n'avait que deux expressions en bouche depuis : « Les Chinois c'est des malades mentals » et « Choisy, c'est bon. » Renfilant ses baskets, Biram grommela un petit *oui*. Il ne serait pas au lit avant longtemps.

Une barre dans le crâne. C'est ce que se frottant le front et les tempes, Biram éprouva le lendemain matin six heures. Et il se demanda par quel miracle il réussirait à s'arracher de son quartier afin d'aller vendre en ville sa camelote pour dames. Le samedi, les plages et le port se remplissaient de touristes. Journée rouge, pas faite pour les alités. Prenant garde de ne pas réveiller Malek qui dormait sur un bout de moquette, Biram jeta une couverture en cape sur son dos et tâtonna en direction du minuscule frigidaire. Il aurait pu avaler un lion. Il engloutit le dernier Churros puis pénétra dans la salle de bains sans conviction car il n'était pas sûr d'y trouver de l'eau. Un jour sur trois, ils coupaient. Hiver ou pas, ils jouaient dans les tuyaux des locataires sans s'excuser, sans prévenir. « C'est reparti », en conclut-il après qu'il eut ouvert le robinet et réceptionné quelques millilitres d'une eau cuivreuse. Il passa au finish un gant de toilette mouillé sur son visage et graissa au coco ses dreadlocks en bourgeons.

Il descendit. Dehors, le monde se remettait lentement en marche. Juste des gens qui passent. On ramassait les poubelles.

Le port de Los Cristianos n'était pas le meilleur emplacement pour se débarrasser d'une migraine. Ici, le soleil n'avait de miséricorde pour personne. Sans un nuage, l'ombre d'un toit ou d'un arbre pour l'adoucir, il cognait sur Biram, Dechoisy et quelques autres modou-modou. C'était cependant le lieu idéal pour faire du chiffre. Impossible, de là, de manquer l'arrivée du *Liberty Carnaval,* un paquebot de croisière, vertical comme une cathédrale et gorgé de vieux Russes.

— Les nouveaux rois du monde, commenta Dechoisy tandis qu'un troupeau de Soviétiques à bajoues et couperose se pressait, sitôt débarqué, vers un stand de fritures. Le pire, c'est leurs nanas. De vraies cafetières, leurs bonnes femmes, ajouta-t-il pour saluer l'apparition de triplettes en short moulant couleur chair de sorte qu'on eût dit qu'elles ne portaient pas de culotte, ni de fesses.

Les camarades pouffèrent, Dechoisy surenchérit et, hélant les midinettes russes, leur montra les lunettes, foulards, pin's, chouchous qu'il avait autour du cou et dans ses poches. Aucun des modou-modou n'était venu en ville avec tout son attirail. Ce qui était à vendre, ils le portaient sur eux afin de s'échapper plus commodément au cas où la Guardia civil s'aviserait de leur coller le train.

— Depuis quand tu baragouines leur langue? T'es plus un Africain, toi. T'es un citoyen du monde, s'exclama Dechoisy en entendant Biram fourguer quelques mots de russe aux clientes qui lui achetaient ses bagues.

— Ça s'appelle juste de la diplomatie, expliqua le garçon. Mais si tu regardes bien, je suis plus africain que vous tous réunis. Le Sénégal, c'est moi. Quand je veux, je rentre.

Il s'était interrompu pour compter un par un les billets et les jetons des Moscovites. Deux autres ventes comme celle-ci et il rembourserait Kin.

— Alors qu'est-ce que tu fiches encore ici ? l'interpella un jeune de Bandafassi en salopette, à la peau aussi orange que la terre d'où il venait.

— Je prépare mon retour. Et je te jure que même chez vous, là-bas, les mangeurs de singes, vous allez savoir que Biram Seye Diop est rentré.

Des camarades rigolèrent, d'autres sifflèrent. Le groupe s'était fractionné : les *Pro Bandafassi* et les *Vive Dakar*.

— Manger l'air, c'est ça seulement que vous connaissez. Sans nous, ton Dakar vaudrait que dalle. Ma famille a construit de grandes choses là-bas. Le campus, c'est eux. Place de l'Indépendance, c'est eux aussi. Ils ont donné leurs bras pour que ton Dakar existe et c'étaient pas des Chinois.

Le garçon s'était rapproché de Biram pour évaluer sa riposte.

174

— Nous, on n'est pas des maçons. On est des princes, des *Damel*. Nos mains sont propres.

— Dans mon village, les Diop c'est nos boys. Quand j'ai soif, ils courent m'apporter ma timbale. Quand j'ai bu, ils la lavent.

— Depuis quand vous utilisez des timbales, vous autres ?

C'était pour de faux que ces deux-là se picotaient. Ils s'acquittaient d'une coutume mille fois plus ancienne qu'eux, qui, au pays, autorise des individus à se vanner dès lors qu'ils appartiennent à un même groupe, famille, ethnie ou nation. Pour autant, la posture même de Biram (jambes écartées de superhéros et bras croisés) n'était pas anodine. Elle contenait toute sa rancœur et son orgueil de fils. Sa volonté de laver définitivement son nom en s'inventant un passé illustre.

Le business reprit et presque tout fut liquidé. Les modou-modou n'avaient pas vendu ainsi depuis longtemps. Ils quittèrent le port pour s'installer sur la plage mais aucun d'entre eux ne nagea. Ils regardaient alentour, ils parlaient bas. Ils ne seraient jamais en paix, ici.

Les jours coulèrent. Un soir, Kin appela Biram pour lui donner rendez-vous à la gare routière.

Ils étaient assis côte à côte sur un banc. Le fournisseur fumait : un homme parmi tant d'autres qui aurait pu être chauffeur de car, agent municipal ou vendeur de salles à manger, pensa Biram en l'observant tirer rapidement sur sa cigarette, la propulser d'une chiquenaude sur le trottoir et l'écraser contre sa semelle mal collée de tennis. Il n'avait pas commencé à parler, pas encore, mais le garçon affrontait son regard jugeant.

— Désolé pour l'autre fois, fit Biram en tendant au fournisseur une enveloppe. J'ai eu des problèmes. Mais c'est réglé maintenant, y a quasiment tout.

Kin enfouit l'argent dans sa poche et alluma une deuxième cigarette.

— Tu sais pourquoi tu t'appelles comme ça ? Tu sais d'où ça vient, hein, tous ces *Jackson* ? attaqua l'Asiatique. Tu n'es pas le premier pour qui je me casse les fesses. Il y a longtemps, j'ai eu un *Jackson Two*, et puis un *Three*, un *Four*, *Five*, *Six*, etc. Avant tous ceux-là, bien sûr, j'ai eu un *Jackson One*, même âge que toi, même petit visage de charbon que toi. Je lui ai fait confiance, je l'ai traité comme si c'était moi que je traitais et puis tu sais ce qu'il a fait pour me remercier ? Il s'est mis à m'arnaquer. Et comme c'était un rapide, ce qu'il se mettait dans les poches, à la fin, ça ressemblait à un boulevard. J'ai pensé : il va se redresser, je vais lui parler et ça va filer doux comme avant. Je me suis dit : il a besoin de toi, mais d'un autre côté, toi aussi, Kin, tu as besoin de lui. C'est un travail d'équipe, après tout. Bon, c'est ce que je lui ai dit aussi.

Son bout de Marlboro light fiché entre les doigts, Chinois avait cessé de parler. Sur son visage en galette, ses yeux paraissaient maintenant deux underscore, repoussés vers la bouche par un gigantesque front. L'autre chose : c'étaient ses pieds et ce qu'il en faisait, cette façon vicieuse de les frotter l'un contre l'autre qui devait l'aider à réfléchir plus vite.

— Tu n'en as donc aucune idée ? insista-t-il de sa voix pointue. Tu ne t'es jamais demandé pourquoi je vous avais tous baptisés *Jackson* ?

Biram releva la tête et regarda s'éloigner le 483. Il prendrait le prochain.

«Tu es un pur couillon si tu crois que c'est comme ça que ça marche l'amitié.»

Et tandis que Chinois *se cassait les fesses* à expliquer son point de vue, le modou-modou se représentait l'amitié en train de marcher. Elle n'avait pas de tête : un simple tronc avec des jambes cagneuses. Juste comme Kin s'éloignait de l'abribus, il la vit qui tournait sur elle-même, l'amitié. Elle sautillait, elle s'envolait. Elle n'avait jamais existé. «Tu es seul au monde, pensa-t-il avec des picotements au cœur et en renflant candidement le torse. Seul mais libre.»

Dans un chuintement anachronique, comparable au râle d'un train à vapeur, le 483 s'éloigna pesamment de la ville et déposa Biram des kilomètres plus loin, à Los Abrigos, sur l'avenue éponyme. Saturée de boutiques, de vacanciers et de baraques à langoustines, c'était cette avenue l'axe du quartier, là où se passait à peu près tout ce qui peut advenir dans la nuit d'un homme de l'an deux mille : cuite, coup de foudre, scène de ménage, panne de voiture, indigestion, braquage, vol à l'arraché. Une trentaine de communautés s'y étaient établies. On avait même vu dernièrement affluer des artistes du Nord, un ramassis d'inutiles qui, après avoir vivoté à Marseille, Paris, Essaouira, Lisbonne, après une psychothérapie remboursée par la sécurité sociale, immigraient avec tout leur bazar et leurs névroses dans des ateliers avec terrasse et vue sur l'eau.

« Qu'est-ce qui m'a pris d'accepter », s'échauffait Biram en remontant à pas comptés l'avenue. Quelques heures seulement avant le concert qu'elle organisait à Los Abrigos, Gloria Seck, la présidente de l'association *Les Disquettes Dures du Saloum*, l'avait contacté. Il manquait quelqu'un dans l'équipe des bénévoles. Elle avait besoin d'un coup de main.

Au numéro 110, il franchit la porte vitrée d'un ancien collège mixte, passa un hall, traversa un préau reconverti en salle de spectacle et pénétra dans une pièce aménagée en bureau. Gloria Seck s'y trouvait. Mains aux hanches, les bras arrondis en anses de panier, elle examinait l'ordre de passage sur scène des artistes. Elle était femme à prétendre savoir tout gérer en même temps et s'enquit de Biram sans cesser de consulter sa liste.

– Et le travail ?
– Le travail ça va.
– Et la famille ?
– La famille ça va.
– Et la maman, sa santé ça va ?
– Elle se porte bien, merci.

— Dieu soit loué.

Puis elle se lamenta d'avoir invité la griotte Aïcha Fall, sacrée faraude, et Numéro 5 sur sa liste.

— Depuis qu'elle a déniché ce maquereau pour la produire, elle a pris la confiance. Mais aujourd'hui, un disque, ça ne vaut rien. N'importe qui peut dire : j'ai sorti un disque.

Debout devant elle, sanglée dans un tailleur veste-jupe culotte en laine, Seynabou Coulibaly, la trésorière de l'association, acquiesçait en remuant la tête. Elle ressemblait à ces chiots mécaniques à l'arrière des voitures. Elle s'interrompit une seconde pour répondre au bonjour de Biram puis reprit son mouvement de balancier en remplaçant les blancs laissés intentionnellement par Gloria par des *tchip* rogues et chantants. Les deux *Disquettes* se crispèrent en voyant réapparaître la griotte. La raseuse leur réclamait une bouteille d'eau gazeuse petites bulles. Elle soupirait fort et son haleine sentait la graille : un mélange de rognons sautés, de beignets à l'huile et de calamars. Ignorant sa présence, Seck tendit une liste de courses à la trésorière et une clef de voiture à Biram. Il restait quelques bricoles à acheter pour le buffet de la soirée.

— Fais-moi du glamour. Je veux que ça pète, exigea-t-elle ensuite du stagiaire chargé des lumières qui venait d'arriver. L'homme fila sous le préau et on perçut un remuement de chaises et de câbles.

– Ta présidente, la terre ne la porte plus.

Au volant de la trois-portes de l'association, Biram clabaudait contre Gloria, mais Coulibaly ne bronchait pas. Les tresses cordelées et ramassées en chignon, son sac Vuitton fermé à double tour sur ses cuisses, la trésorière n'avait pas prononcé un mot depuis que la diesel avait démarré. Elle remâchait son aventure avec Biram. Un mois plus tôt, ils avaient dormi ensemble. Rien qu'une nuit car le garçon avait disparu.

– On s'est inquiété pour toi, avoua-t-elle enfin à Biram, en regardant par la vitre baissée les bandes blanches du goudron. Lundi, on a tenté de te joindre. On a laissé deux messages sur ta boîte. J'imagine que tu les as eus et que, si tu ne nous as pas téléphoné, c'est parce que tu avais tes raisons. Mais peut-être que tu vas me dire que tu ne les as pas eus car si tu les avais eus, tu aurais forcément pris la peine de rappeler. Peut-être même que tu vas me dire que ce n'est pas ton genre, de ne pas rappeler les amis qui prennent de tes nouvelles. Que les gens qui font cela sont des lâches et des peureux et, que, toi, bien sûr, tu n'as rien à voir avec eux, tu n'as peur de rien, toi.

Elle était sortie de sa réserve. Un vrai chien, une chienne qui aboyait.

Biram s'excusa et écouta la jeune femme triturer la fermeture éclair de son sac. Elle allait la casser, pensait-il, s'étonnant qu'on pût se mettre dans cet état-là pour si peu. Une nuit, est-ce que cela compte, une nuit? Il la regarda à la dérobée. Pour quelle raison ne l'avait-il pas rappelée? Il ignorait sincèrement ce qui, dans le détail ou globalement, l'avait rebuté chez elle. Elle avait les mains douces et ne dégageait aucune odeur désagréable. Cette qualité (la propreté) n'était pas négligeable. Il n'y avait rien de plus regrettable qu'une fille avec une perruque, des dessous, un corps et un bidet de salle d'eau mal lavés. «C'est quoi l'amour?» s'interrogea-t-il avant que la trois-portes n'eût atteint Lidl : une femme qui vous bichonne mais qui ne vous plaît pas ou bien un canon qui vous mène en bateau?

Coulibaly n'aurait su lui dire. Elle préférait s'en tenir aux faits :

— Je t'ai fait confiance. Je t'ai invité dans ma maison. J'ai cuisiné pour toi un bon poisson que je t'ai servi avec de la laitue, des tomates : mieux qu'au restaurant. Je me suis décarcassée pour trouver des macarons au chocolat, pour toi, parce que l'autre jour tu as dit que c'était ton gâteau préféré. Bien sûr, on est des adultes. On était tous les deux consentants et tu as fait tout ce que tu avais à faire avec moi. Maintenant, le matin, quand je t'ai demandé si tu avais passé une bonne soirée, tu m'as affirmé que notre nuit, elle avait été extra. Je t'ai raccompagné à la porte, tu m'as fait un bisou et tu m'as dit : « Je t'appelle mon bijou, je t'appelle ce soir. » Une semaine, trois semaines : rien. Il a fallu que ce soit ma présidente qui te téléphone pour que tu te souviennes qu'on se connaissait, toi et moi. Et tu voudrais que, moi, Seynabou, je te respecte ?

Les lèvres carmin de la Sénégalaise se clouèrent, ses mains s'agrippèrent au Vuitton et Biram se rappela enfin leur nuit *extra*. Il l'avait oubliée. Sitôt rentré chez lui, il s'était empressé de prendre une douche.

– Je ne voulais pas te faire de mal, ajouta-t-il pour conclure, honteux mais certain d'avoir déjà entendu ces mots-là quelque part. Dans une chanson de zouk ?

La diesel se gara sur un parking. Ils retirèrent chacun un caddie et s'enfoncèrent dans les allées du supermarché. Une demi-heure plus tard, ils se rejoignaient à la caisse.

« Le problème, réalisa Biram, au moment où la trésorière rangeait consciencieusement les courses dans les cartons, c'est ce qu'elle va devenir. » À vingt-quatre ans, Seynabou Coulibaly avait déjà l'allure d'une grande frimeuse de Fann-Dakar, de ces mamans sénégalaises qui s'empiffrent de glaces à étages dans les pâtisseries libanaises, s'abonnent à Canal Horizon, parfument leur intérieur à l'encens aromatisé Chanel et négocient le prix de leurs pagnes sur le bord de leur route, sans quitter leur Mercedes. Elle ne croyait pas au destin, mais au planning. Elle s'imposait un programme serré d'activités sociales oiseuses. Elle notait tous ses rendez-vous et ses idées sur un organiseur de poche. La trois-portes quitta le parking. Les mêmes images nocturnes qu'à l'aller se succédèrent : feux filants des voitures, contours de montagnes et de zones industrielles.

Ce n'est que vers deux heures du matin, après avoir vérifié que la salle était pleine et que ses invités de marque étaient tous arrivés, que Gloria Seck sortit des toilettes pour fendre avec vigilance la foule et accéder à la scène. «Pour être chaud, ça va être show», promit-elle avant de présenter l'*exceptionnelle brochette d'artistes originaires du continent noir et de l'archipel canarien* et d'évoquer les temps forts de cette *soirée d'amitié indéfectible entre les peuples*. Son corps était bridé dans un fourreau en basin supérieur. Ses pieds, pincés dans une paire de chaussures importables. Son introduction liquidée, elle reprit sa voix de présidente d'association et avec une condescendance exemplaire, en accolant des *très honorée* un peu partout, remercia pour leur soutien l'ensemble de ses partenaires ainsi que les semi-personnalités du monde de l'art, parrains et marraines de l'événement. Elle leur avait réservé une surprise : un poème de Birago Diop traduit en espagnol par des élèves de cours moyen 1 du collège Simón Bolívar, qu'elle déclama à toute biture sur un vieux fond de R'n'B.

Pendant ce temps-là, Biram s'affairait, tantôt à l'accueil où il encaissait les entrées, tantôt dans les loges (ex-urinoirs pour filles) où il s'échinait à maintenir une certaine discipline. Il fallait en effet un homme au moins pour tempérer les ardeurs de Soxhna Aïcha Fall, hystérique depuis qu'elle avait appris qu'elle ne ferait plus l'ouverture du spectacle mais qu'elle chanterait longtemps après, entre un conteur canarien asthmatique et un humoriste sans répertoire. Elle fulminait : «C'est un coup monté! Ces jalouses ne savent pas qui je suis. Elles auront honte, je le jure devant Dieu qu'elles auront honte!» Et pour la dixième fois de la soirée, composa en vain le numéro de téléphone de son mari, ministre de la Culture sous Senghor, des Transports terrestres, des Transports ferroviaires et de l'Aménagement du Territoire sous Diouf. «Le vieux est injoignable pour le moment. Il vous rappellera *asap*», lui répondit enfin une prénommée

Marguerite que la chanteuse ne connaissait ni d'Ève ni d'Adam. De fureur, la griotte massacra son cellulaire et pria Biram de lui *apporter* Seck.

Biram ne s'attendait pas à revoir *la Blanche* et affecta de ne pas la reconnaître lorsque, de retour dans le hall, il vit la femme à la sirène de sable s'écarter de la file d'attente et s'avancer vers lui. «C'est que j'en vois passer des touristes. Sur cette île, ça débarque et ça part tous les jours.»

Il n'eut pas l'impudence de lui tourner le dos mais se borna à hocher la tête lorsqu'elle lui demanda de ses nouvelles et lui présenta la métisse qui l'accompagnait : Beatriz Biyogo, agent d'artistes, grasse et myope avec des lunettes papillon de star crépusculaire.

— Beatriz vit à Madrid, mais elle bouge tout le temps et elle a un tas d'amis à Tenerife. C'est elle qui m'a ramenée ici ce soir, déclara Hélène en saisissant tendrement la joufflue par la taille. On s'est connues gamines, elle et moi, à Bielsa, un village de montagne entre l'Espagne et la France. Son papa était un grand musicien guinéen.

Biram lança un regard narquois à Biyogo. Cette métisse n'avait rien de nègre. Une barre de Bounty.

— C'est possible d'avoir une table? lui demanda rudement Beatriz en décollant ses lunettes de son nez Pierre Ier de Castille dit le Cruel.

Puis elle accosta l'une de ses découvertes : un artiste açoréen déguenillé dont elle s'était occupée autrefois, coté cinq cents dollars aujourd'hui à Lisbonne. «Un vrai connard», souffla-t-elle à l'oreille d'Hélène tout en serrant cordialement la main du connard. «Quoi de neuf?» L'Açoréen énuméra aussitôt le nombre de résidences d'artistes, de foires d'exposition et de salons où on l'avait invité cette année.

Biram s'éclipsa et regagna le préau où *Les Bouteilles panafropéennes* reprenaient un tube de Toto Guillaume :

Tu peux te fâcher, te fâcher jusqu'à en éclater, roucoulait moitié *live*, moitié en play-back le leader en chatouillant sa guitare électrique. *Mais à quoi cela va te servir/que peut la colère d'une poule devant un aigle qui vient de lui arracher son poussin?/Lui qui vole si haut, haut dans le ciel/Sache que jamais, l'on ne pourra mettre en concurrence un aigle et une poule.*

«Est-ce que ça va? Je ne vous entends pas!» Le chanteur s'éloigna de son micro et ses quatre danseuses (deux Noires, deux Blanches) l'encerclèrent, un pagne de mariée autour de leurs reins et une bouteille de bière grand modèle sur la tête. L'une le rouspétait, l'autre faisait mine de lui arracher sa guitare, les deux autres se chamaillaient en poussant des cris qui amusaient le public. Autre chanson. Nouveau numéro avec les bouteilles. Puis

187

un quintette de musiciens en sarouel agitèrent des castagnettes et Biram se décolla du podium pour ne pas finir sourd. Il croisa Sidi et Dechoisy tandis qu'il se glissait vers la buvette. Les trois garçons se chéckèrent. On aurait dit des ados avec leur gros jean surpiqué laissant apparaître leur contrefaçon de caleçon Versace, Dim ou Hugo Boss.

— C'étaient qui les bourgeoises avec qui tu causais ? questionna Dechoisy.

Biram tenta un rictus qui signifiait *personne*.

— Comment *personne* ? Tu l'as vue marcher, la négresse à quatre yeux ? Des fesses larges comme l'Espagne ! Une moitié à Séville, l'autre à Barça.

— C'est pas une Noire, c'est une *tismé*, rectifia Biram en haussant la voix.

Dans la salle, on ne s'entendait plus parler depuis que la présidente des *Disquettes* s'était emparée du micro pour annoncer les résultats du grand tirage au sort. Non moins survoltée, Coulibaly détaillait les récompenses. Le premier prix consistait en une entrée au centre de loisirs maritime César Manrique de Santa-Cruz (22 000 mètres carrés, espaces verts, zones de détente, installations sportives, piscine naturelle, en plein cœur de la ville). Sidi se pencha vers Biram :

— Qu'est-ce que tu en dis, grand ? La sieste toute la journée, des filles en bikini qui te servent à manger. Ça doit être trop relax.

Se figurant la scène : les sirènes et la piscine d'eau chaude anis, Biram fit craquer les ligaments de ses doigts. Il ne dirait pas non si l'opportunité se présentait. Il partirait dès demain et passerait au moins un week-end là-bas. Dechoisy secoua la tête : «Les hôtesses en maillot, c'est pas mon marché.» Il venait d'apercevoir Beatriz qui, s'orientant vers les toilettes, marchait : Séville, Barcelone, Séville. Il en soupira et, dans un roulement d'épaules gamin, informa ses camarades qu'il allait faire un tour.

– Et le poulet, ça court toujours ? T'es déguisé en quoi en ce moment ?

Biram n'avait rien d'autre à dire à Sidi.

– Ils m'ont mis en cuisine. C'est moi qui fais griller la viande maintenant.

– Cool.

Le spectacle reprit. À peu près tout et n'importe quoi s'enchaîna. La moitié des bénévoles de l'association disparus, Biram devait faire la navette entre les loges et le bar, le bar et les vestiaires, les vestiaires et le bureau de Gloria. Lassé de jouer les larbins, il s'arrêta devant le podium au moment où Aïcha Fall montait sur scène, méconnaissable avec son rouge aux joues de seize ans et son bol de cheveux bicolore aile de corbeau-châtain clair.

Les griottes sont des hommes politiques et des professionnelles de l'*entertainment*. Elles savent flatter, émouvoir, distraire et soutirer de l'argent en un temps record. Mais Soxhna Fall avait la grâce en plus. Sa voix qui nasillait haut était un don de Dieu. Attroupées au premier rang, des mamans brandirent leurs foulards de tête dans sa direction à la fin du deuxième morceau. « Une autre ! » La Fall bissa, la salle se mit à chanter, sauf Biram.

Les mains coincées dans ses poches, le garçon se remémorait la maison désolée de la rue Mermoz. Cet air que sa mère, *pauvre d'elle*, avait fredonné le lendemain de la mort de son mari. Comme il avait pleuré en l'entendant. Près de flancher, il serra les dents : *Je suis costaud. Je suis un homme. Je suis sénégalais.* Alors il s'efforça de penser à des bêtises. À la tête que tirerait Aïcha Fall lorsqu'elle retournerait dans les loges et affronterait Gloria Seck. Elle l'aplatirait. Il resserra d'un cran son ceinturon. Maintenant, sa jeunesse l'embarrassait. Il aurait aimé être un papa, un bonhomme avec de la bouteille, un cœur quiet et des souvenirs bien rangés. Au lieu de quoi, il avait les tripes et les nerfs d'un gosse. C'était douloureux, pitoyable.

Alors qu'il s'approchait de la sortie, il buta sur la sang-mêlé de Bielsa suspendue au cou de Dechoisy. Sans ses lunettes et sa pochette Burberry pressée comme un billet de banque sous son bras, Beatriz Biyogo semblait plus vulnérable. Complètement beurrée surtout. Sa bouche sentait le vin, ses yeux luisaient comme des gouttes d'eau.

— Tu t'en vas déjà ? gazouilla-t-elle toute lascive en pinçant la joue de Biram.

Le jeune homme recula. Il fallait n'avoir aucune jugeote pour flirter avec une telle fillasse. Femme mûre + métisse qui boit = problèmes. Alioune était un double zéro. Le voilà même, Dechoisy, qui repartait déjà comme un gogo vers le bar sur ordre de la soûlarde qui se plaignait d'avoir soif.

— Vous n'aimez pas les fêtes ?

Biram se retourna. La Blanche se tenait debout devant lui. Il la croyait partie. *Bizarre.* Généralement, les femmes comme elle ne traînaient pas la nuit. Elles regagnaient leur pension de bonne heure. S'offraient le casino, à la limite, ou une courte promenade digestive sur la corniche. Il s'étonnait enfin qu'elle fût encore à Tenerife. Ce n'étaient pas les plages de sable fin qui manquaient dans le monde. Jaune Brésil, noir Tahiti, beige France, blanc Australie… Il suffisait de se servir.

— Vous n'aimez pas danser ?

— J'suis pas venu pour ça. Vous, par contre, vous devriez rentrer, fit-il, en jetant un œil gêné sur la métisse. Votre copine, elle est pas en forme.

En attendant le retour de Dechoisy, Beatriz avait posé ses larges fesses sur une chaise. Ses épaules tressautaient, son eye-liner dégoulinait. Elle était, à cet instant précis, la combinaison du stupre, de la candeur et du superflu.

Hélène aida son amie à se lever.

– Vous sauriez conduire le camion de Beatriz ? On est garées pas loin d'ici.

La métisse s'affaissa et Biram dut s'occuper seul du *massif* hispano-guinéen qu'il transporta jusqu'au trottoir et installa à l'arrière du camion.

Il n'était pas un spécialiste des Iveco Daily avec hayon. Il n'était pas non plus un chevalier servant et se demandait, tandis qu'il démarrait le 20 m³, passait les vitesses et suivait les instructions d'Hélène, pour quelle raison les femmes qu'il rencontrait se figuraient d'emblée qu'il était à leur disposition. Il s'interrogeait sur son degré de tolérance aux femmes. Combien de temps les supportait-il ? À partir de quand cessaient-elles de l'impressionner ? D'où lui venait cette défiance à leur égard, sa capacité à lire le vice dans leurs yeux et à appréhender leurs manigances ? Il résistait à l'envie de songer à Marème. Il préférait se rappeler la cour de sa tante Maguette. Cette parcelle de ciment de dix mètres carrés sur six où cuisinaient et plaisantaient quotidiennement les voisines jusqu'à ce que la pagaille, qui n'était jamais loin, éclate. Et alors, c'étaient les cris et des jetés de vaisselle. C'étaient des coups, des crachats et des blasphèmes : le cirque des femelles. «Les femmes ?» Il crispa les mâchoires. En vérité, il aspirait à une existence de bonze hétérodoxe, faite de brèves

relations impromptues avec des partenaires inoffen-
sives et soumises. La paix était son seul fantasme.

– C'est pour quoi faire ce camion ? fit-il après une
demi-heure de rond-point, de côtes et de plaines.

– C'est une vieille histoire. Elle l'emmène partout où elle va. Ça doit faire au moins vingt ans
qu'elle l'a.

– Ouais, ajouta-t-il machinalement en consi-
dérant les tubes de gouache, la caisse d'outils, le
sèche-cheveux, la vingtaine de CD, de stylos,
de préservatifs et de chips contenus dans l'habi-
tacle. C'est encore loin ? demanda-t-il alors que la
camionnette s'engouffrait dans un sentier rocailleux bordé de résineux.

– Nous sommes presque arrivés. Il y a la descente,
puis vous prendrez la première à gauche. La maison est aussi vieille que les arbres que vous voyez.
Avant elle, il paraît qu'il y avait une caverne avec
des restes de poteries et des ossements humains.
C'étaient des Guanches, ceux qui vivaient là, des
Canariens pure souche.

– C'est des fadaises. Ces gars-là, ils n'étaient pas
plus canariens que vous et moi. Ils se sont installés
là parce que le climat était sympa et que c'était joli.
Ils ont monté leur case et ils ont cru qu'ils étaient
les premiers à le faire. C'est toujours comme ça.
Les gens s'imaginent qu'ils sont chez eux mais il y
a toujours quelqu'un avant, finalement.

La femme regarda Biram et pensa : c'est un drôle de garçon. Que la silhouette géométrique des pins derrière la vitre lui donnait du caractère. Elle étudia ses mains à l'horizontale sur le volant et en éprouva un contentement déroutant. Ce plaisir de se sentir en sécurité auprès d'un homme cadrait mal avec sa mentalité. Elle appartenait à l'espèce des affranchies : jamais mariées, plus d'enfants à charge et d'amant à demeure. Elle se satisfaisait de cette autonomie conquise sans fièvre, de ce quotidien taillé à sa mesure et dirigé à son gré. Professeur d'anthropologie sociale dans une université de Lyon, elle avait les moyens et le talent de se gérer seule.

Elle s'attarda sur le jean délavé de Biram et son ceinturon à grosse boucle en forme de carte. C'était la carte de l'Afrique sans ses reliefs, ses fleuves et ses frontières : un morceau de métal et de strass de quatre centimètres de large sur six de haut. «C'est drôle de se retrouver là.» Elle avait l'impression fugace d'être revenue des années en arrière. Non pas qu'elle soupirât après sa jeunesse, mais il lui plaisait de récupérer momentanément son innocence, cette excitation démodée de jeune femme lorsque la nuit prend une tournure inédite. Une décharge de bonheur et d'orgueil l'envahit. Ça changeait des soirées entre intellos et vieilles copines. Ça correspondait à ce qu'elle était venue

prendre ici : un break, après une année rétrospecti-
vement difficile. Pas de quoi se plaindre, ou de *tout
arrêter*. Non, quand même pas. Mais un matin,
elle avait voulu voir la mer et s'était offert un aller-
retour pour Tenerife.

Le camion suivit la pente. Les crapauds ressor-
tirent leur rengaine. À présent que la pluie tombait
fort, les branches des pins ballaient dans n'importe
quel sens.

— C'est cette maison-là, annonça Hélène en faisant tinter son trousseau de clefs. J'aurais dû penser
à fermer les fenêtres de la salle. Ici, la pluie vient
quand elle veut.

— C'est normal en hiver. Mais bientôt, ça va cra-
mer de partout, comme dans un four. Après tout,
c'est le Sud, ici.

Biram descendit du véhicule et charria Beatriz
dans une chambre qui sentait le moisi.

— Je vais faire bouillir de l'eau. Ça vous intéresse
une tisane ? J'ai aussi des biscuits, une glace au chocolat et quelques fruits, proposa Hélène lorsqu'ils
furent dans le salon.

Il ne répondit pas. Tandis qu'elle s'affairait dans
la cuisine, il visa la pièce aux murs tout blancs où
il se trouvait. Le plafond était haut, flanqué de
fausses poutres et de spots. Le parquet blindé
de tapis tristes était en chêne vitré. Ce n'était pas
le grand luxe, les meubles. Le canapé était la seule

fantaisie : un sofa de velours au dossier vallonné qui dégourdissait les cuisses aussi rapidement que le radiateur du Lavomatic.

Il actionna la télécommande cassée du téléviseur en ronchonnant. Il n'y avait qu'un péquenot de Canarien pour oser louer à des étrangers un pareil boui-boui, en réclamer des milliers sous prétexte que l'habitation avait appartenu au père du père de son père, qu'elle était certes sous équipée, mal isolée et mal entretenue, mais *authentique*.

Il se concentra sur les biscuits au blé qu'il trempa dans son bol pour les attendrir. Ce goût du mou lui était venu dès qu'il avait accosté à Tenerife, lorsque trop épuisé, ou malade ou affligé pour mâcher, il avait été capable de n'avaler que du bouillon, comme s'il n'avait ni ventre, ni bouche, mais un trou. Son corps n'était qu'un trou lorsque les bénévoles de la Croix-Rouge l'avaient allongé sous une tente pour le secourir, le remplir de comprimés et d'eau potable.

Biram ne vit pas Hélène se lever mais l'entendit qui ouvrait une porte. Puis l'appelait de sa voix sûre et bienveillante.

À présent, il était allongé sur un lit et, à considérer le sol moucheté d'une lumière chaude et crue, il estimait qu'il devait être midi. Il était largement plus. Il était nu et honteux au souvenir de ce qu'il avait fait. Que lui était-il donc passé par la tête? Dans sa carrière sexuelle maigrement remplie, il n'avait jamais serré de Blanches Blanches. Question de goût, de conviction politique et de circonstances.

Il se couvrit pudiquement le sexe avec l'oreiller. Il songea à se rhabiller en découvrant ses vêtements pliés sur un tabouret, à déguerpir. Mais de l'autre côté du lit, il y avait Hélène qui le contemplait.

Ce fut comme un coup de jus lorsqu'elle le prit pour la seconde fois. Il en récolta autant de plaisir que de colère. Une colère bien campée, démesurée. *La vieille salope avait fini par l'avoir.* Il s'empressa d'enfiler son jean. La femme quitta la chambre et la maison se mit à sentir le pain grillé et le café.

— Vous avez attaché Paul avec Pierre, lui fit remarquer Hélène en lui tendant une assiette de toasts qu'il refusa d'un ferme hochement de tête. Il avait rallumé son téléphone portable pour consulter ses deux textos. L'un venait de Kin, l'autre de Malek qui avait «1 truc 1croyable» à lui annoncer. «Il se barre en Espagne», présuma-t-il platement.

— Je vais réveiller Beatriz pour qu'elle vous ramène en ville.

— Je peux me débrouiller tout seul. Marcher, ça, c'est rien ça. J'ai l'habitude de me déplacer à pied.

Sa tasse de café à la main, elle s'installa dans le fauteuil du living-room, se demandant ce qui la troublait tant chez ce jeune homme noir. Sa pureté ou bien son désespoir ? Elle avait connu trop d'hommes pour croire à leurs mystères.

— Comme vous voudrez, fit-elle en croisant ses jambes. Mais alors, ne faites pas la tête. On dirait que vous venez de commettre une grosse bêtise.

— J'ai la tête de ma tête, répondit-il. Ce n'est pas à toi de me dire comment je dois être et à quoi je dois ressembler. C'est facile pour toi, tout ce que tu veux tu l'as. Tu peux te payer du bonheur avec ton argent.

— Je ne vous ai pas payé pour être ici.

— Peut-être bien que tu devrais !

Son regard était haineux, haineux et impuissant.

— Vous êtes en train de tout mélanger. Je ne suis pas responsable de votre malheur. Je ne vous ai fait aucun mal.

— Sûr que tu n'as personnellement rien à te reprocher, mais il n'empêche que, si tu peux être à l'aise aujourd'hui, si tu peux passer tes journées à rien foutre, c'est parce qu'il y a des pauvres qui ont toujours bossé. Votre richesse à vous, les gens d'Europe, elle s'est pas bâtie toute seule mais sur le dos de nos ancêtres. Tu dis que tu n'y es pour rien mais alors ne dis pas que tu n'en as pas profité. Profiter de l'argent qui vient du mal, c'est faire le mal.

– Vous mélangez tout.

Elle détacha ses yeux de Biram pour regarder par la fenêtre. On ne distinguait plus rien à cause de cette pluie en grains.

– Mon grand-père était des Pouilles, dit-elle en déposant sa tasse pleine sur la table. C'est une région dans le sud de l'Italie. Il n'y avait plus de travail chez lui alors il est venu en France avec son frère et une caisse d'outils. Lui aussi a dû travailler dur contre un salaire dérisoire et des insultes tous les jours. On les appelait les Ritals, les Italiens. On ne les aimait pas beaucoup.

– Chez nous, on les appelle bâtards ou fils de pute. Tu sais pourquoi ? Parce qu'ils ont une grande bouche et des manières de dégueulasse. C'est pas l'Afrique qui les intéresse mais les Africaines. Avec leur fric, ils les achètent par kilos et les bouffent comme des spaghettis.

Biram soupira devant le sourire inébranlable et poli de la Blanche. Elle ne serait jamais responsable de son malheur. Non pas parce qu'elle ne l'était pas dans les faits, dans l'Histoire, mais parce que, comme tous ceux de son espèce, elle avait de la boue dans les yeux.

– J'ai besoin d'argent, déclara-t-il. J'ai plus rien et je dois rembourser un type.

– Combien ?

Elle se pencha pour attraper son sac à main.

– Deux cents, c'est bien. Ça permet de voir venir.

– Je n'ai pas cette somme sur moi, mais il y a des tirettes au village. Beatriz va nous emmener et puis tu pourras partir si tu le désires toujours.

Ce *tu* la fit rougir et douter d'elle-même. L'argent procurait-il donc tous les droits ?

Ils stationnèrent quelques minutes sur la place du village puis roulèrent vers le Sud.

Au terminus des bus où il se fit déposer, Biram retrouva Kin et lui régla ce qu'il lui devait. Mais le Chinois se montra expéditif :

– Veux plus voir ta gueule. Tu te tires et c'est marre.

L'Africain n'insista pas et embarqua dans l'autocar pour El Fraile.

C'est à peine s'il reconnut Malek en pénétrant dans son dix-sept mètres carrés. À la veille de son départ providentiel pour Barcelone, le gamin avait corrigé son look : survêtement extra-blanc tout neuf et figures extravagantes tracées sur chaque côté du crâne.

– J'me déterre d'ici. Mon chef m'envoie en Espagne. Adiós Little Africa ! Viva Barça !

– Fais juste gaffe de ne pas te retrouver en *cárcel*.

Ils bavardaient la bouche pleine, en dépiautant des pistaches devant la télé.

Tenerife

Équipée d'un casque micro qui lui mangeait la moitié de la bouche, Lourdes Estoril de la TVE évoquait l'ensemble des fléaux naturels qui s'étaient abattus sur terre au cours de l'année écoulée. Le Pakistan avait tremblé fort et le Nevada n'avait jamais été aussi sec. Il avait plu des cordes en Allemagne et en Suisse. Un ouragan avait assommé un millier d'Américains. Un cyclone avait malmené une île des Caraïbes. Un peu partout, des rivières avaient débordé et des bestioles étaient tombées du ciel comme dans la Bible. De manière générale, il avait fait ou trop froid ou trop chaud. Des personnes âgées avaient péri déshydratées et un bébé avait cuit dans le coffre d'une voiture. Avant de rendre l'antenne, la présentatrice Météo rendit grâce à Dieu et à son employeur. Elle remercia aussi les téléspectateurs auxquels elle souhaitait une *Supernochebuena*.

La fin du monde. C'est ce que Biram se disait, alors qu'il examinait les quatre murs de sa chambre, les plinthes à moitié décollées et le plafond qui pelait. Une piaule bonne à la casse, dans un immeuble croulant que la municipalité n'hésiterait pas à détruire. Il se représenta un escadron de grues, une tapée de gravats et de macchabées. Le quartier entier expirait et, à la place, poussaient des parkings, des centres commerciaux et des immeubles à digicodes avec gardien. Depuis le départ de Malek tôt ce matin, le garçon était cloîtré dans son appartement, un pyjama sur lui et rien dans le ventre, son frigo était vide. Il releva les yeux au plafond. C'était le désordre à l'étage du dessus. Beuglements d'hommes, cassements de verres, pilonnements de talons aiguilles. Les filles célébraient la nouvelle année. Il ausculta de nouveau son taudis et maudit le Canarien qui le lui louait. *Colono de gringo*, spécialisé dans la location de porcheries à bas prix qu'il réservait aux sans-papiers. Le genre de propriétaire qui, prétendant qu'un toit, c'est un toit, refusait d'entendre parler d'état des lieux, de travaux, de toilettes bouchées et n'intervenait que pour ramasser son argent ou vous mettre à la porte.

Les jours qui vinrent furent du même tonneau. Biram ne quitta pas le quartier. Se promettant «Demain, la ville», et puis se ravisant. Il ne s'expliquait pas cette léthargie mais s'en accommodait. À quoi bon s'affoler quand la seule aventure humaine nécessaire consistait à descendre au Lavomatic chauffer son mètre quatre-vingt-douze? Ranger ses chaussettes par paires, plier en deux ses slips, en six ses draps, mettre le tout dans un sac plastique Día et revenir chez lui.

Il se traîna toute la semaine puis il se résolut à sortir.

La ville avait changé. La plupart des boutiques de *Las Piramidas* étaient fermées. Les rares vendeuses encore visibles s'embêtaient. Les vitrines étaient nues. Les marchandes de turrón et les flocons de polystyrène avaient disparu. Sur le pavé bien briqué, il ne restait plus rien du réveillon, pas la moindre crotte de bête, aucune canette. La rue s'étalait, aussi souple qu'un lino. Bardé du long manteau militaire que lui avait laissé Malek, Biram ne sentait plus le froid. Il se sentait même détendu, *rilaxe Max*, affirma-t-il au camarade camelot qu'il croisa. Un semblant de conversation démarra dont les deux Africains se débarrassèrent en se souhaitant bonne chance.

La cloche de l'église carillonna au moment même où une Chevrolet de couleur verte s'engageait en donnant de l'avertisseur dans la rue commerciale à sens unique. Biram suivit le véhicule des yeux et croisa les doigts. Il était convaincu que ces coïncidences-là portaient chance à condition de former systématiquement un vœu lorsqu'elles se produisaient. Une voiture verte qui klaxonne cependant qu'une cloche sonne, c'était comme de tomber sur quelqu'un auquel on était justement en train de penser, d'égarer son écharpe préférée et d'en retrouver une autre aussitôt après, de croiser, à cinq minutes d'intervalle, deux filles semblablement vêtues, de se réveiller avec une chanson dans la tête et de la réentendre en allumant la radio. Biram songea enfin qu'un tel hasard n'était pas survenu dans sa vie depuis des années. Il réfléchit. Car il ignorait par quel vœu commencer.

Dans son long manteau croisé d'officier à épaulettes, avec fente dans le dos et large col, il se mit

alors à chanter *Bitim Rew, Bitim rew… bitim rew…
bitim rew*. Il était gosse lorsque Moktar, le mari
de sa tante Maguette, lui avait fait découvrir cette
chanson de Youssou N'Dour. Il avait vingt-quatre
ans aujourd'hui et la voix du *ntama*, le tambour
d'aisselles en peau de chèvre, l'obsédait encore,
l'hypnotisait. *Bitim Rew, Bitim Rew…* Biram ne
marchait plus, il planait. Il quittait les Canaries,
l'Europe, et enjambait les mers. Maintenant, il
survolait Dakar, Dieuppeul-Derklé, Yoff, Grand
Yoff, Médina, Pattes d'Oie, Sicap Liberté. Il distinguait les minarets, des gueules d'arbres, des carreaux de champs, le va-et-vient des hommes qui
vus d'en haut étaient à peine plus balèzes que des
petits pois secs du marché. La cité s'effaça. Il vira
vers Mbour, Thiès, Ndar. Il volait au-dessus des
plantations de cannes vert treillis du gouverneur
Richard Toll. Comme il en grouillait, des tiges ! On
les réduisait en carreaux de sucres que des employés
payés à quelques jetons jour enveloppaient dans
du papier fin qui casse. Des paquets de canne à
sucre. Et puis, tout de bon, au cœur des flèches :
la demeure du gouverneur, pas bien grandiose au
bout du compte, mais qui l'avait été deux siècles
plus tôt, au temps où les nègres marchaient à la
cravache.

Biram changea de vitesse, d'altitude, et plissa les
yeux pour se protéger du vent du Sahara. À cause

de la poussière, il toussait. Ses lèvres avaient un goût de cendre. Il s'échina à maintenir sa direction jusqu'à ce que, vaincu par l'Harmattan, il abandonnât toute résistance. Il chutait. Il rêvait qu'il se cassait la figure. Il était sur la plage de Los Cristianos lorsqu'il rouvrit les yeux, et fut surpris de n'y trouver personne.

Tous les vacanciers s'étaient rués au port, là où, informés de l'arrivée d'une pirogue chargée de clandestins, une douzaine de motards de la Guardia se démenaient. «Reculez! Laissez travailler les professionnels!» hurlaient les policiers en déroulant un ruban de balisage entre les curieux et l'équipe de la Croix-Rouge déjà sur place. Des touristes s'éloignèrent. D'autres observèrent imbécilement la scène, fouillant leurs poches, sacoches ou bananes en quête d'un appareil photo, d'une caméra. Ils n'avaient jamais rien vu de tel, un branle-bas d'uniformes, de tentes, de médicaments, de couvertures et de gilets de sauvetage. Non, ils ne connaissaient pas cette pagaille, et se souvinrent, avec un mélange d'excitation et d'écœurement, de ce que certains journaux serinaient depuis des mois : que de plus en plus d'immigrés s'entassaient dans des bateaux pour fuir leur pays. Que c'était triste, et surtout *problématique* puisque l'Europe n'avait plus de place et plus d'argent pour les accueillir.

«Le mois dernier, déclarait un homme en panta-court saumon, caméra mini-dv et chaussettes mi-mollets, ils en ont intercepté une cinquantaine. C'est arrivé pas loin d'ici, à Lanzarote. Et quand ils ont remorqué le bateau, il paraît qu'ils avaient presque tous clamsé.»

Un couple approuva. Eux aussi connaissaient cette histoire et avaient vu les photos. *Unbelievable*, ils répétaient que c'était dingue, autant de jeunes dans un bateau. C'était dingue, *really*, c'était dingue, de quitter un pays quand il y avait tout à construire : routes, hôpitaux, hôtels, écoles. «C'est parce que les gars qui surveillent les côtes ne foutent rien», avança au pif l'homme au pantalon raccourci. Il se tut pour filmer de dos le vice-directeur de la Cruz Roja, puis se tournant vers la mer, il effectua un lent mouvement panoramique. Le soleil cramait l'image mais sur la ligne parfaitement droite et tangible de l'eau, on pouvait voir de gauche à droite glisser les goélettes, des yatchs élégants et des catamarans où des corps en deux pièces bronzaient.

«En tout cas, il y en a que ça ne dérange pas, la misère», dit-il sans bien savoir à qui il s'adressait : sa bonne conscience ou la ménagère en paréo qu'il avait épousée. Rallumant sa Sony, il panota vers le quai et zooma sur une tente qu'un duo de bénévoles s'appliquaient à monter.

Entre-temps, la foule avait doublé de volume : une masse sans gueule ni conscience propre, agglutinée contre la baleize et réclamant son spectacle. «Les voilà!»

Le bateau de la gendarmerie espagnole était enfin en vue. Il évoluait vers le quai, il accostait, remorquant une pirogue d'une quinzaine de mètres de long. À bord du cayuco, gisaient des étrangers, une poignée d'Africains, tous adultes, tous des hommes, plus vraiment noirs mais gris. Cinq momies effarées que les bras de la Croix-Rouge étendirent sur des civières puis transportèrent avec précaution sous la tente.

«Y viennent de Mauritanie.» L'homme à la caméra expliquait que les candidats africains à l'émigration vers l'Europe partaient de là-bas, Mauritanie ou Sahara occidental. C'est ce qu'il avait lu. N'osant plus utiliser son appareil, il se contenta d'afficher un air concerné et eut un léger mouvement de panique en découvrant ce Nègre à la dégaine de soldat qui venait de se poster à côté de lui. «Excuse me, are you looking for someone?» bredouilla-t-il en lui cédant sa place et en se décalant vers sa femme. Biram ne prit pas la peine de répondre. Il regardait les gars de la Croix-Rouge travailler. Il observait les Noirs figés et saufs sous la tente, tout en se demandant ce que l'Europe déciderait de faire à présent que ces étrangers s'étaient introduits dans sa forteresse. Combien de temps les tolérerait-elle ? Que leur coûterait, à eux, cette hospitalité ? Il s'étonnait de l'âge avancé des rescapés. Seule la jeunesse, de son temps, partait faire l'aventure. Un chef de famille n'abandonnait pas son pays.

Il frémit en entendant bourdonner la foule et, dans le même temps qu'elle, avec une trouille et une appréhension égales, il tourna la tête en direction de l'océan, vers cet autre bateau qui tractait une nouvelle pirogue vide. *Mierda!* Biram recula. Il était en sueur et patraque. Il lui semblait que son corps, yeux-nez-bouche, avait cessé de fonctionner normalement. Dans un soupir d'exaspération, il se remit en marche, le port derrière lui, et devant : la ville, pas tout à fait la même que tantôt. La chaleur avait percé, la chaussée, les terrasses s'étaient peuplées d'un coup. Il progressait pas à pas sur le trottoir, incapable de fuir, de voler ou de retourner voir de plus près *ses compatriotes* emballés dans leurs couvertures. Car comment dire ? Il n'était pas exclu que ces aventuriers fussent sénégalais. Ils ressemblaient même à n'importe quel Sénégalais qu'il aurait pu croiser à Dakar ou à Mbour. *OK, ils sont comme moi. Mais qu'est-ce que ça change ?*

Un instant, il songea aux jeunes fils de tante Maguette et supposa qu'ils le dépassaient tous d'une tête. Depuis qu'il s'était enfui de Mbour, il ne leur avait expédié qu'une carte postale. Il leur avait à tous manqué de respect. Il avait été un serpent sous leur toit.

Comme il reprenait son bus 111, chargé de femmes, de cabas et de gamins turbulents, il pensa : « Le temps cavale. On lui court après mais il nous roule dessus. » Que serait-il devenu s'il était resté au pays ? Aurait-il *gagné* ? Aurait-il eu une situation ? Tout était tellement plus rude, plus incertain, ici. Les mères et le reste descendirent puis le bus longea un terrain où des gosses en maillots d'Arsenal s'échangeaient des passes. Les contours désolants d'une zone commerciale se profilèrent. Et plus tard : les premiers immeubles d'El Fraile.

Sans remuer franchement les lèvres, Dechoisy répétait :

— Depuis ce matin, les flics sont là. C'est tous des dealers et des maquereaux les types qu'ils cueillent. Rien que des Ghana et des Lagos. Dès l'apparition des premiers fourgons de police à El Fraile, Alioune avait téléphoné aux copains pour les alerter. Quatre heures qu'il était là à guetter les va-et-vient des agents, collé à son portable à coque dorée, et à la fenêtre de sa chambre de bonne dans laquelle Biram venait de pénétrer.

— On dirait qu'ils cherchent à faire du zèle.

Biram s'approcha à son tour de la fenêtre coulissante :

— Bah, faut pas se faire de bile. Ils vont se fatiguer. C'est juste un nettoyage de printemps.

Mais lui aussi était inquiet. Les yeux cramponnés au dernier étage de l'immeuble d'en face, là où résidait Grand-Vieux, il était curieux de savoir ce que le vieil Hadj mijotait derrière ses doubles rideaux tirés, s'il craignait pour sa peau, dans quel coin imprenable de leur palace, sa bourgeoise et lui s'étaient empressés de stocker la marchandise et les billets.

– Chaud cacao! fit-il tout à coup en agrippant le bras d'Alioune.

Une voiture de police remontait lentement la rue.

Le véhicule s'arrêta au pied de l'immeuble du receleur et trois hommes armés perquisitionnèrent chez les Ba. On les voyait tourner dans la cuisine.

Biram et Dechoisy s'écartèrent de la fenêtre, pantois. Qu'adviendrait-il du grand Babacar? Quelle peine lui infligerait la police canarienne? Âgé ou pas, utile ou bon à rien, un clandestin restait un clandestin, même après vingt ans ou trente ans d'aventures, même après toute une vie d'Europe dans les jambes. Ils en connaissaient beaucoup qui avaient été arrêtés. On les avait molestés, à peine interrogés, et puis go, on les avait rapatriés. *Go!* Comme un coup de baguette magique. Car ils étaient repartis sans rien et, là-bas, au pays, on les avait vus réapparaître sans rien. Nus. La seule chose qu'ils portaient était leur honte.

Biram attendit la tombée du jour pour quitter la chambre d'Alioune. Il se déplaça méthodiquement dans le quartier, s'assurant, à chaque enjambée, qu'aucun policier ne le filait ou ne l'espionnait. Il n'était pas fier car il sentait cogner son cœur jusque dans ses poignets et ses pieds. Il éprouva un bref sentiment de soulagement en constatant que le système électrique de la cage d'escalier de son immeuble avait été réparé, après des mois de schwartz total et de réclamations. Si cela a marché pour la lumière, alors rien n'est perdu pour Grand-Vieux, se dit-il, sans oser s'adresser au Ciel.

Il retira ses tennis, se libéra de son manteau et s'allongea sur son lit, là où aucun emmerdeur ne viendrait lui signifier «rentre dans ton pays». Ses idées étaient confuses et il ne tarda pas à s'assoupir.

Son premier réflexe fut, en se réveillant, de se tourner vers la fenêtre : la nuit éclatait, piquée d'étoiles. Après quoi, il se leva et s'adossa à la porte d'entrée. Quelqu'un gravissait sportivement les escaliers. «Encore un salaud qui a rendez-vous au-dessus. Ça va bahuter toute la nuit avec les filles.» Mais le visiteur s'immobilisa au quatrième, juste devant sa porte. L'odeur qu'il dégageait était un panaché de tabac, de cirage et de lotion après-rasage. Il s'éloigna au bout d'un moment pour allumer l'interrupteur et Biram l'épia par le trou de la serrure. *Le Lagos du Hummer.* Il l'identifia immédiatement. Il aperçut son pantalon moule-cuisses traité au pressing, sa paire de sourcils rapprochés et son afro minutieusement taillé, tassé en plateau. Ce n'était pas dans les mœurs du Nigérian d'user ses pieds à explorer le quartier. Le «nettoyage de printemps» avait dû le désarçonner. L'observant, Biram songea à la façon dont tournait le monde des adultes. Deux espèces animales s'y déployaient. Les infiniment petits, encombrés de complexes et de conscience. Et les autres, les buffles, qui agissaient dans le grand dehors sans innocence. Terrorisaient les faibles ou leur montraient l'exemple. Tellement vivants, tellement tenaces qu'ils ne mourraient jamais, même lorsqu'ils étaient morts. Son propre père avait été de ceux-là.

La porte du hall de l'immeuble s'ouvrit subitement et un quarteron de gendarmes essoufflés se pressa au quatrième étage pour soumettre le Nigérian. *Laisse tomber!* Le Lagos se défendait réellement comme un buffle. Il soufflait puis chargeait. Peur de rien. Ses poings piquaient comme deux cornes. À l'aide d'un barreau arraché à la balustrade de l'escalier, il blessa deux des agents à la tête et débita des grossièretés qu'on ne jette pas à la tête d'un flic. Il s'apprêtait à recharger lorsque le chef de la meute rappliqua et le neutralisa au Taser. Lagos était sonné.

Les policiers le traînèrent hors de l'immeuble, le casèrent dans leur fourgonnette et quittèrent Little Africa.

Trois jours après l'arrestation du Nigérian, Biram fit sa valise et s'assit dans le 187, tout son argent de poche en poche, ainsi qu'un papier où figurait le numéro de cellulaire d'Hélène. L'écriture était claire et simple, comme la femme au téléphone lorsqu'elle lui avait répondu *oui* après qu'il lui eut demandé s'il pouvait venir chez elle, et qu'il se fut, surtout, demandé ce qui l'avait pris de l'appeler. S'il avait été un jeune homme ordinaire avec des pieds sans corne et une carte d'identité, il ne se serait naturellement pas posé cette question. Il lui aurait téléphoné plus tôt. Il aurait aimé lui faire l'amour souvent. Il n'aurait pas été dans un tel effroi à l'idée de la revoir. Que s'était-il donc passé pour qu'il osât la rappeler et montât dans ce bus de nuit chargé comme une mule, et aussi résolu que le sont ces bêtes, à partir. Car il ne reverrait plus El Fraile. Ou si oui, dans très longtemps, lorsqu'il aurait le ventre de Grand-Vieux sous un tricot de bonne qualité, et au moins autant d'argent que le Malien en avait possédé. Il ne croupirait pas dans ce cul de l'Europe, se promettait-il. Il ne le méritait pas. Son sang n'était pas si mauvais. Ses mains n'étaient pas plus sales que celles d'un autre.

Il ferma les yeux pour les rouvrir aussitôt dans le désir un peu désespéré de discerner dehors ou autour de lui un signe, un symbole à quoi se raccrocher. Il se souvenait de la fourmi qui, dans le Saint Coran, ordonne à ses consœurs fourmis de rentrer sous terre afin que Salomon et son armée ne les piétinent pas, de l'abeille qui prend demeure dans les montagnes, les arbres et les treillages, du moustique de la sourate *La Vache*, de l'araignée dont la maison est si fragile. Il eût aimé voir surgir ces créatures du Bon Dieu. Il avait besoin d'Allah. Ce soir, il était prêt à tout gober.

Mais les étoiles qui brillantaient le ciel s'étaient éteintes. La nuit glissait sous son nez comme un tapis roulant. Il était assis dans un bus, derrière un conducteur dont il distinguait à peine le visage dans le rétroviseur.

— Terminus, annonça l'employé après s'être garé.

Biram ne se leva pas. Il réfléchissait à la possibilité de faire marche arrière. Rentrer chez lui,

joindre les copains, se rabibocher avec Kin et devenir son Jackson VII, VIII, XII. Il fixa avec suspi-
cion la poignée réglable de sa Samsonite. « Je suis
un imbécile multiplié par un imbécile. Je suis incapable de décider d'un truc et de croire à ce truc
jusqu'au bout. »

Il s'imaginait sans tête, le corps en deux parties disjointes et parfaitement symétriques. Une
ficelle lui ceinturerait la taille. Et une main, tantôt
celle d'Allah, tantôt celle de n'importe qui, ferait
ce qu'elle voulait de lui. « Je suis un vrai yo-yo. »
Il était las de lui-même, totalement découragé.
Puisqu'il n'était plus capable de raisonner, ce fut
Hélène qui décida à sa place. D'un signe de la
main, l'encouragea à descendre. Elle portait une
longue robe à pois et avait lâché ses cheveux.

— Vous avez besoin d'aide ? lui cria-t-elle derrière
la vitre avec un enjouement forcé. Elle sentait le
regard réprobateur du chauffeur sur elle, et s'inquiétait de la taille de la valise du garçon.

Biram sortit du bus.

— Ça va aller. Y a juste à tirer.

Puis il suivit la femme jusqu'à un véhicule de
location.

— Ne faites pas attention à l'odeur, fit-elle en
ouvrant le coffre de l'Opel et en reléguant sur la
banquette arrière un bouquet de fleurs séchées. On
les appelle immortelles. Ça sent un peu le curry,

mais c'est formidable contre la fièvre. Sa voix s'était radoucie.

— Vous savez, lui confia-t-elle plus tard lorsqu'ils eurent fini de dîner, j'ai réfléchi à ce que vous m'avez dit l'autre jour sur notre responsabilité à nous, les Occidentaux, et je m'en suis voulu. Je vous ai parlé de mon grand-père, mais lui, c'est lui, c'était son histoire. Moi, je ne connais rien du malheur. J'ai mélangé les situations, je n'en avais pas le droit.

Biram éclata de rire. Il était allongé sur le tapis et dévisageait la femme à pois raide comme un L sur son sofa design aux lignes onduleuses. Quelle comédienne ! Il ne lui manquait plus qu'une blouse, une grimace de bienvenue et un badge indiquant son grade : chargée de clientèle, conseillère dans une banque, assistante manager.

— Vous vous moquez de moi, murmura-t-elle en s'approchant de lui. Elle aimait cette liberté que prennent les hommes lorsqu'ils rient. C'est une énergie libre et simple. Si différente du rire des femmes. Une femme qui rit rit toujours pour un homme.

Ils refirent le sexe, mais c'est lui qui mena. Il s'interdisait de jouir. Il attendait l'instant où le plaisir d'Hélène monterait, et alors là, juste à ce moment-là, il lui percerait l'estomac, il l'éclaterait comme un nègre, comme des générations de bons nègres avaient tant rêvé de le faire. Il galopait. Il courait en elle et espérait l'entendre hurler *à moi*! Qu'elle la sentît pour de bon, sa douleur ancienne, indépassable d'homme noir. Qu'elle se pissât dessus de dégoût et de peur en l'avalant. Qu'elle ne lui survécût pas.

Il réalisa qu'il était en train de l'étrangler lorsqu'il l'entendit haleter, et il lui fallut la bravoure de mille hommes pour contenir sa rage et se détacher du corps ouvert et flageolant.

— Je suis désolé.

Il lui tourna le dos et se couvrit les oreilles avec les mains. Il avait l'impression que des génies démoniaques étaient entrés dans sa tête. Ils étaient une sacrée bande et lui parlaient tous en même temps. À bout de forces, il replia ses jambes contre sa poitrine. Les démons faiblirent, et par-dessus leurs sanglots et leurs lamentations, il reconnut, comme un emplâtre, la voix humaine d'Hélène. Elle avait regagné le centre du canapé vert et ses cheveux flottaient, encore électriques.

— Nous ne nous devons rien. Ni l'amour, ni la mort, articula-t-elle. Mais je veux que tu répondes à ma question : pourquoi es-tu revenu? Ce n'est pas pour le cul, tu te moques bien de cela. Ce n'est pas non plus pour mon argent. Alors pourquoi? Réponds-moi s'il te plaît.

Sans précipitation, sans pudeur non plus, Biram se releva et vint s'asseoir près d'elle. Il n'avait aucune explication rationnelle à lui fournir. Il avait agi d'instinct.

— Je peux? fit-il en posant enfantinement sa tête sur les cuisses de la femme. Il ferma les yeux et parla d'une traite : La dernière fois que j'ai mis les pieds à Las Palmas, c'était pour assister à un enterrement. On était une dizaine dans le cimetière. Des copains, un imam et les représentants d'une association qui défend les droits des migrants. Normalement, quand quelqu'un décède chez nous, on fait sa toilette pour le purifier et l'imam récite la Prière des Morts. Tout le monde prie devant le cercueil ouvert pour rendre hommage au défunt et à sa famille. Mais cette fois-là, c'était différent. Personne ne parlait parce que personne ne connaissait les noms des deux gars qui étaient morts. En me promenant dans le cimetière, j'ai remarqué que certaines tombes étaient nues. Pas de nom, pas de *Always in our memory*, pas de *Tu familia*. Absolument rien dessus. Ce jour-là, j'ai su que c'était là-dedans qu'on fourrait les cadavres des aventuriers lorsqu'on ignorait comment ils s'appelaient. Cette histoire-là, personne ne la connaît au Sénégal. Là-bas, quand un jeune qui a pris la pirogue disparaît, on dit qu'il a atterri au Brésil ou au Cap Vert. Même les mamans, elles croient ça, et dès que le téléphone sonne et que ça grésille, elles pensent que c'est leur fils qui appelle et qu'il est loin. Les gens de chez moi rêvent beaucoup. On nous a toujours appris que si Dieu a créé l'homme pour vingt jours, c'est pour vingt jours seulement. Mais quand même, quitter son pays en héros et mourir comme un chien, c'est pas un destin.

— Qu'attends-tu de moi? reprit Hélène en s'humectant les lèvres et en débrouillant son cheveu. De courtes rides froissaient son front, et, au-dessous, ses yeux que l'épuisement ou la lumière du matin avaient durcis s'éloignaient du visage du jeune homme.

— Je peux dormir n'importe où. Je ne t'embêterai pas.

— Je quitte l'île samedi. Alors, la maison, je la rends.

— Toi, tu t'en vas? Alors tu peux m'emmener avec toi?

Elle ne trouva rien à répondre et inclina la tête comme un aveu d'impuissance. Elle aurait dû s'y attendre. *Ils* finissent toujours par demander cela. Car cette question-là lui était familière. Autrefois, au temps où elle voyageait pour de bon, elle l'avait entendue de la bouche d'adultes et d'enfants. C'était la même prière formulée avec le même aplomb, l'impudence déconcertante du pauvre qui ne connaît le riche que par présomption. Parfois, *ils* s'agrippaient à sa jupe, parfois, *ils* couraient en criant derrière sa voiture, et le chahut de leur accablement lui donnait mal au cœur. Au début, elle avait été bouleversée. Elle avait eu l'orgueil et la stupidité de se figurer que c'était parce qu'ils l'aimaient bien qu'ils souhaitaient s'en aller avec elle, et puis en découvrant la violence de leur désir, sa constance quels que soient le vacancier, le véhicule, elle s'était sentie abusée, voire harcelée et elle avait changé d'habitudes. Désormais, elle préférait offrir son argent plutôt que sa compassion, et puis elle partait sans prévenir.

— Je suis claqué. Je dois voyager et j'ai besoin que tu m'aides, déclara Biram en enfilant son sweat et une chaussette.

Il ramassa le reste de ses habits qu'il étala sur ses jambes comme une couverture. La cheminée tirait mal et il regrettait son manteau de soldat. Il aurait pu s'endormir dedans puis il se serait réveillé, elle l'aurait réveillé, avec un café sucré, son bon sens de mère et sa docilité de femme. Mais Hélène ne réagissait pas. Campée dans son canapé en velours, elle continuait de scruter la Samsonite. Cette valise était tout ce que le jeune homme possédait. Elle contenait ses vieilles peurs et sa jeune hardiesse, ses poings et son innocence.

— Où veux-tu donc que je te cache ? lui demanda-t-elle sitôt douchée et habillée. Sans attendre de réponse, elle pénétra dans la cuisine. Il y avait les toasts et le café à préparer. Et puis on verrait bien.

ROME

Ses aisselles talquées, un string couleur chair entre les doigts, Marème Doriane Fall se hissa sur la pointe des pieds pour évaluer son capital dans la glace. Son dos avait forci, des vergetures striaient ses fesses : elle vieillissait. Se reculottant, elle passa laborieusement son jean taille 42, se baissa puis survola du regard la trentaine de paires de chaussures rangées par coloris et par prix sous son lit. Les stiletto étaient chic mais hors saison. Les Rossi faisaient plouc et les fausses Gucci fausses. Quant aux Prada, il fallait être de bois pour les supporter ou n'avoir, dans la vie, qu'un minimum de mètres à parcourir : débarquer d'une Mercedes aux bras d'un gros possédant et frimer dans un restaurant en vogue.

Elle s'allongea pour accéder à quelques paires et revint au miroir poursuivre ses essayages. *Pas mal.*

À l'exception de ses pieds, deux bûchettes aussi compactes que sèches qui méritaient de disparaître dans des bottines bien fermées, et qu'on en parle plus. Ce qu'elle fit avant de repasser son soutien-gorge *push up* et de se bitumer de fond de teint. Dans le miroir, elle affronta son regard. Il était injurieux, mais elle était coriace. Elle avait fait la vie. Une femme. Qui pouvait lui jeter la pierre ?

Alors elle réfléchit à la manière dont elle opérerait cette nuit. Qu'allait-elle devoir combiner pour décrocher un rendez-vous, celui que les hommes fixent lorsqu'ils sont sérieux et qu'ils n'ont pas que du temps et de l'argent à perdre avec une fille. Car Doriane cherchait un mari. Un vrai mari, précisat-elle à voix haute tout en dégageant d'une boîte à chapeaux un lot de perruques neuves. Et pas ces farceurs dont Rome, Paris, tout l'univers, étaient peuplés. Qui, après s'être bien servis, oubliaient de la rappeler et, bien sûr, de s'excuser lorsqu'ils la croisaient par hasard. Ce n'était alors pas tant le billet que ces lascars lui glissaient en guise d'épilogue qui l'humiliait le plus (l'argent reste l'argent), mais cette manie qu'ils avaient tous de lui tapoter la tête, comme pour lui signifier qu'elle n'était pas une putain, que, s'ils avaient pu, s'ils n'avaient pas été mariés, pères de famille, bons gendres, bons cadres, bons chrétiens, ils l'auraient aimée un peu. Ils l'auraient respectée. Au souvenir des cravates à motifs de damier et de la gueule glabre de Rocco, la jeune femme serra les fesses. «J'aurais dû lui cracher dessus, j'aurais dû l'humilier», enrageait-elle tandis que ses mains coiffaient la *Diana Ross* et l'ajustaient à son crâne. «L'écraser comme un moustique.» Elle se tut parce que son rimmel était en train de couler. Ses yeux étaient rouges et rancuniers.

Tout avait pourtant bien commencé avec Rocco. Spécialiste des prêts à taux fixe à la San Paolo, l'Italien l'avait aimée du 1er septembre au 5 octobre. Puis, il s'était transformé en porc. Hum hum, un porc. Au point de l'inviter dans une cantine pour lui annoncer qu'il la quittait, de commander le menu le moins cher au prétexte qu'il était pressé. Pressé ? À peine parti, il était revenu dare-dare. Non tant pour se repentir ou parce qu'il avait pris conscience qu'une fille comme elle, de son *standing*, de sa taille (un mètre soixante-seize) et de sa fraîcheur (elle avait vingt-six quand il en avait largement plus de cinquante), ne courait pas les rues. Ni pour la féliciter de les avoir supportés trente-deux nuits, lui et ses onomatopées obscènes, ses strings moule-*popol* et ses larges allées de poils sur les épaules, mais pour lui réclamer les présents dont il l'avait dotée : une chaîne en argent, un sac et les Sergio Rossi. Elle ne savait pas par quel miracle elle avait eu le cœur de se lever de table, de traverser la salle avec ce goujat de Rocco dans son dos, sans succomber à la honte. Puis de récupérer ses effets au vestiaire, de remercier l'employé phallocrate qui lui tenait la porte et de gagner son domicile à pied. C'était la colère qui l'avait portée, et aussi l'habitude. Ce n'était pas la première fois qu'un homme l'abandonnait en pleine nuit.

Elle pénétra dans la cuisine et, au terme de fouilles approfondies, mit la main sur une barre chocolatée et une bouteille de jus gazeux qu'elle engloutit sans bruit, ni même s'asseoir, comme si elle avait été folle ou ivre. Elle remua lentement les hanches et amorça le genre de moue qu'affiche une femme lorsqu'elle est en chasse, et que le gibier est gros. Elle s'imaginait dans les bras d'un millionnaire exceptionnellement délicat. Qui l'aimait comme un dingue, un ado, comme personne. Qui tirait de sa poche une bague de fiançailles de luxe pour, *oh miracle!*, la lui glisser au doigt. Elle écrabouilla du pied sa bouteille de soda vide. Un sourire à ras bord éclatait maintenant dans ses yeux.

Le temps de changer de perruque, d'enfiler une autre paire de chaussures, d'en glisser une seconde, de secours, dans son sac, de mettre un nouveau soutien, un fond de teint plus clair, de rouvrir le frigidaire, d'interroger son répondeur, de s'asperger de parfum, d'informer par texto Francine qu'elle décollait, et elle fut prête à descendre les sept étages de son immeuble pour embarquer dans un taxi.

— Vous, vous êtes chanteuse, paria le chauffeur après avoir éteint sa radio et démarré en trombe. Vous travaillez dans le milieu.

Doriane ne broncha pas. Derrière la vitre, c'était déjà l'hiver. Les jours se vidaient vite, des milliers de gens rentraient dans des milliers de pièces éclairées. Elle en voyait qui philosophaient dans les cafés, des jeunes avec des vêtements en couleurs, des silhouettes accortes et des coupes de cheveux fantaisistes. Elle haussa les épaules. Mâles comme femelles, ces êtres-là étaient des imposteurs à ne jamais croire sur parole, ou juger au faciès. Elle en avait croisé un paquet au cours de ses deux années à Paris. Exemple : les filles qui se teignent les cheveux avec du henné, celles qui dansent pieds nus dans les concerts de musique africaine, la bande des photographes, producteurs et titulaires d'une carte de presse, les bons en djembé, les wolofones débutants, les porteurs de bouc, ceux qui militent pour les sans-papiers, ceux qui s'inscrivent dans des cours de danse guinéenne, les frères adoptifs blancs du chanteur Youssou N'Dour, «Youssou-N-Dour», comme ils disent.

Doriane eut brusquement honte d'elle-même. Elle était encore en train de ruminer comme si sa

vie n'avait été qu'une suite ininterrompue d'humi-
liations et de complications.

Elle n'avait pourtant pas eu à prendre les pirogues pour gagner l'Europe. Sa mère n'avait jamais
vendu de beignets sur un marché pour l'envoyer à
l'école. Elle avait obtenu son bac. Elle n'était entrée
dans aucun réseau de prostitution. Personne encore
ne l'avait rouée de coups. Elle n'avait pas attrapé de
maladie. Son corps était encore beau, les hommes
se retournaient dans la rue pour l'admirer. Elle
n'avait fait qu'un mariage et, par conséquent, un
seul divorce. Elle savait chanter et parlait cinq langues. Côté vie pratique, elle n'avait pas à se plaindre
non plus : sa logeuse était charitable, l'épicier du
coin ouvrait 7/7, elle mangeait trois fois trop et
allait danser au moins une fois par semaine. « J'ai
changé », conclut-elle. L'Europe l'avait transformée.

Non loin de Termini, elle aperçut la guérite de
Lucia, un conglomérat de cartons et de panneaux
en polystyrène. La vieille Noire se tenait devant la
porte de son taudis face à des touristes qui la prenaient en photo. Au début, lorsqu'il lui arrivait de
tomber sur elle, Doriane baissait la tête pour l'éviter, ou alors changeait carrément de trottoir. Elle
ne voulait rien avoir à faire avec les pauvres. Passe
encore ceux d'Italie, chacun son merdier après tout.
Mais que cette malheureuse vînt d'Afrique la mor-
tifiait. À quoi bon l'Europe pour végéter comme

au village? C'était donc Lucia qui l'avait accostée depuis la porte de sa cabane, droite, comme ce soir, dans ses jupons en guenilles. «Je n'ai jamais mangé personne, avait-elle affirmé, bravant le mépris de la Sénégalaise. Je dis la vérité aux gens. Ils s'assoient là, et moi je leur raconte ce qui va leur arriver.»

Le *là* en question se résumait à une chaise pliable rangée contre une petite table ronde recouverte d'une toile cirée. «Le bon et le mauvais, c'est ce que je vois et puis après je rentre à la maison. Tu pensais tout de même pas que je couchais là-dedans? Ça, c'est pour le business. Quand tu es africaine et que tu as l'air d'une pauvre, les riches, ils te donnent plus facilement.» Doriane avait souri. Elle s'était même assise. Et voilà, elles s'étaient liées d'amitié. Avant de venir vendre l'avenir à Rome, la voyante avait patrouillé en Afrique. Elle avait été conseillère artistique d'une douzaine de chefs d'État et pasteur dans une batelée de nouvelles églises évangéliques jusqu'à ce que l'Esprit Saint la contactât personnellement. Il ne lui était pas apparu en songe, Celui-là. Un matin comme n'importe quel matin, il était descendu directement chez elle pour lui intimer l'ordre de se rendre à Rome. Dans la version réservée aux touristes, Lucia ajoutait n'avoir jamais éprouvé une telle brûlure. Dès que l'Esprit avait ouvert la bouche, *le feu sacré* était entré en elle et s'était répandu dans tout son corps.

— Ça y est, je sais où je vous ai vue, s'écria le chauffeur du taxi Espace en bondissant littéralement de son siège. Dans la réclame pour le tiramisu déshydraté. Je l'savais que votre tête, elle me disait quelque chose. Les célébrités, je les attire. Tenez par exemple, vous savez qui j'ai baladé l'autre soir dans mon taxi ? Vous connaissez l'émission *Sesso e Setta* ? Vous voyez la brune avec une poitrine comme ça qui file les tee-shirts aux candidats (le chauffeur lâcha momentanément le volant pour indiquer le gabarit de la poitrine en question), c'était elle ! C'est elle, parole d'honneur, que j'ai fait monter dans mon taxi. Gardez-le pour vous, mais en vrai, elle est toute petite, *una bambina*. Ça, c'est le problème de la télé, c'est déformateur. Par contre, vous, vous êtes comme dans la pub. C'est pas pour dire. C'est mon cœur qui parle.

Doriane se borna à froncer les sourcils. Il y aurait dû y avoir des lois pour protéger les clients dans les taxis, non seulement pour assurer leur sécurité ou leur épargner les arnaques les plus fréquentes (compteurs marron, faux raccourcis), mais pour leur garantir la paix et un trajet parfait, sans personne pour les dévorer des yeux et les abrutir de paroles oiseuses. Elle dut le penser très fort car le chauffeur cessa de jaser pour se concentrer sur la route et la radio qu'il avait rallumée.

À Milan, signalait un journaliste à un club d'entrepreneurs, on commençait à ressentir les effets de la crise économique. Trois cents ouvriers allaient être licenciés. Telle usine risquait de fermer. Le pays allait devoir se serrer la ceinture car ce n'était qu'un début. Les invités débattirent mais Doriane ne les écoutait plus.

Il lui venait à l'esprit des images de Trieste, de ce quartier sénégalais de Trieste où son grand cousin Drissa l'avait accueillie quelques mois après sa rupture avec Jonas. Il avait décrété : «Y a de quoi refaire ta vie, ici», lui prédisant un remariage réussi, une masse d'enfants et une dibiterie quatre étoiles. Ce n'étaient pas les bons musulmans, ni les moutons qui manquaient dans la région. Quant au local à griller la viande, ce n'était rien de le trouver, pas même une question de temps. Comme à chaque fois que quelqu'un lui promettait le bonheur, Doriane s'était prise à y croire. Elle s'était projetée dans le rôle de la *boss* d'un restaurant de cent cinquante mètres carrés qu'elle baptiserait *Keur Doriane*. Les clients défileraient, le mouton fumerait. Elle organiserait des samedis soir prestige : l'élection de miss Black Trieste.

Elle était arrivée à Trieste un dimanche et, dès le lendemain, s'était rendue sur le chantier où besognaient Drissa et sa clique de Sénégalais. Par la fenêtre du préfabriqué qui servait de cantine aux ouvriers, elle les avait regardés turbiner comme des bêtes, couler le ciment, transporter les parpaings, creuser, percer, bétonner, grimper au faîte d'échafaudages fluets et glissants. Puis, en griller une, entre leurs doigts intelligents et rêches, s'y remettre parce que le chef de chantier rouspétait. Creuser, percer, bétonner jusqu'à ce que l'école, l'immeuble, ou n'importe quel bâtiment, tînt debout, qu'une saison entière passât, probablement deux, en attendant les petites vacances au Sénégal.

Midi sonné, leurs outils rangés, ils s'étaient amassés dans le local pour réchauffer leur gamelle, saucer leur pain, avec ce bloc de patience et d'humilité dans laquelle ils semblaient tous avoir été taillés. Et c'était pitié de les voir expédier leur dessert, pomme ou crème caramel, à la minute où le patron apparaissait, infichu, tout patron qu'il était, de retenir leurs prénoms, de comprendre que, parmi ceux qu'il appelait ses gars ou bien ses Mamadou, il y avait là, aussi, des pères, des étudiants et des héros.

Alors elle s'était mise à haïr les siens, d'une force. Car ce n'était pas tout d'avoir un grand cœur, il fallait avoir une grande vie. Ne pas se contenter de ce que Dieu avait donné puisqu'Il avait trop de dossiers à gérer pour réfléchir à tout et contenter tout le monde. Être bon, bon comme un Drissa, ne rapportait rien. Depuis qu'il était monde, le monde appartenait aux forts et aux malins. Aucune fortune, à ce qu'elle sût, aucune gloire, ne s'était jamais fabriquée dans la sueur ou dans le graillon. Elle était retournée à Rome.

Doriane crispa les lèvres pour contenir la rancune qui revenait à toute allure. Ce n'était plus après les hommes en général qu'elle en avait, mais après Jonas, le meilleur et le pire d'entre d'eux parce qu'il avait été le premier. En janvier, le 12, cela ferait trois ans qu'ils ne dormaient plus ensemble. Elle appréhendait cette date d'anniversaire tout autant qu'un océan démonté, comme un jour de poisse, d'insomnies et de nausées. Lorsqu'en 2005, elle s'était décidée à rejoindre Jonas à Paris, elle ne se doutait pas de ce qui l'attendrait. Elle y était allée au nom de l'amour, ce *miracle de l'amour* dont le jeune journaliste de RFI, dans les lettres et les mails enfiévrés qu'il lui adressait, ne cessait de l'entretenir. Elle ne s'était jamais vraiment adaptée à la mentalité des Français, mais elle avait fait son effort de guerre, comme on dit, elle s'était intégrée et son mari n'avait jamais rien eu à lui reprocher. À l'époque, il était même fou d'elle et insistait toujours pour qu'elle l'accompagnât partout où il allait. Il ne la laisserait jamais tomber, voilà ce qu'elle s'était mis en tête. Pas seulement parce qu'elle croyait au miracle ou que Jonas lui avait paru être de nature flexible, mais parce qu'on ne quitte pas Marème Doriane Fall.

Elle s'enfonça un peu plus dans son siège. Quelle abomination !

Le freinage cinématographique du taxi accompagné d'une voix cassée de femme la contraint à se ressaisir. « Avec ou sans ? » articulait Francine derrière la vitre, une paire de bas à la main et un chewing-gum entre ses lèvres mauves. « Avec », trancha Doriane en se décalant vers la gauche afin que son amie tout en jambes pût s'installer, retrousser sa minijupe et enfiler ses bas sous les yeux du chauffeur. L'Ivoirienne, qui était une fille simple, s'en moquait bien, de montrer sa culotte. Elle détestait réfléchir et se décidait vite. En attendant d'être célèbre, elle défilait en maillot et il lui arrivait de chanter en play-back dans des soirées tropicales. C'était ce qu'on pourrait appeler une *femme directe*. Rien ne la troublait lorsqu'elle avait une histoire, même insipide, à raconter.

— Si je te dis comment je te l'ai rissolé, tu vas être battue ! attaqua-t-elle en se penchant pour lacer ses bottines à talons compensés. D'abord, il m'a appelée pour me dire qu'il voulait m'emmener manger du poulet. J'ai répondu OK, mais viens me chercher à huit heures. Sept heures trente, il était déjà là avec ses fleurs et son bec en cœur. Il me tend le bouquet et me fait : «Je ne briserai jamais le cœur de mon bébé.» J'ai fermé ma bouche, mais c'est seulement quand on est arrivés chez ses amis que j'ai commencé la guerre. Je l'ai as-sas-si-né!

Doriane battit des mains. Comme à chaque fois qu'elle retrouvait Francine, elle se sentait puissante, à la hauteur de ce qu'elle se figurait devoir être une Africaine d'aujourd'hui : une femelle de type dominant qui ne mollit jamais et ne perd pas la face, une Noire véritable, plantée dans son corps prétendument parfait et son identité homogène et solide. Avec Francine, ses peurs individuelles dégringolaient d'un coup. Elle n'était plus Doriane mais un immense continent en marche.

– Et avec ton banquier, vous en êtes où ? s'enquit l'Ivoirienne lorsqu'elle eut décrit de quelle façon elle avait corrigé le second *bébé* de son ancien amant.

– Poubelle, mentit franco Doriane que Rocco n'avait jamais rappelée. Peu importe car les deux amies ne se devaient pas la vérité.

Puis la Sénégalaise sortit de son sac un carton en vergé ivoire clair au dos duquel était écrit que sa seigneurie machin machin chose serait honorée de recevoir à son Gala de bienfaisance la Signorina Fall accompagnée d'une personne.

– Ça, c'est du costaud, garantit-elle en enduisant ses lèvres d'une double couche de gloss. Elle n'ajouta rien d'autre et, se tournant vers la vitre, établit une fois de plus un inventaire rapide des qualités qu'elle recherchait chez un homme : excellente présentation, générosité, galanterie, disponibilité, constance, fidélité, loyauté, dévouement, bienveillance, tendresse. En découvrant le mois dernier cette invitation dans sa boîte aux lettres, elle avait immédiatement pensé – non, la pensée n'a rien à voir avec cela, elle avait plutôt eu l'intuition que le lieu choisi pour la réception, *Il Palazzotto de Visconti*, serait l'endroit idéal pour coudoyer et harponner un mari. « La classe, non ? »

Francine rapprocha le carton du plafonnier pour l'examiner. Elle n'était pas assez candide pour exprimer son enthousiasme et, dans une certaine mesure, dans les limites que lui imposaient sa confiance excessive en elle-même et sa vanité, elle enviait Doriane. Elle la jugeait moins appétissante qu'elle, mais plus distinguée. Peut-être trop. La Dakaroise était trop fière à son goût. C'était son problème. Et celui des Sénégalaises en général.

On ne remet pas en cause une amitié d'un an à cause d'un gala. Francine déboutonna donc sa chemise jusque entre les seins et, avec cet aplomb qui était tout compte fait sa plus précieuse vertu, éclata d'un rire paillard qui venait du fond de la gorge :

– Gala ou pas, ils vont me connaître !

Rome

Contrairement à ce que laissait supposer l'inti-
tulé, ce *Pallazzotto de Visconti* où était organisé le
Gala du *Partito Dell'Italia Pulita* (PIP), n'avait pas
le moindre lien avec l'œuvre du metteur en scène
milanais ou une ancienne demeure de caractère.
Difficile en effet de s'émerveiller en pénétrant dans
cette salle des fêtes éclairée au néon clignotant et
garnie d'une quarantaine de tables de restauration
scolaire. C'est en s'asseyant qu'on oubliait un peu
les détails : les larges baies vitrées en rotonde mal
lavées, la superficie démesurée de la pièce, le carrelage d'aspect métallisé, les courants d'air, le plafond
plâtré de cafards, l'étroitesse du podium où, dégoulinant de sueur, le leader du Parti de l'Italie Propre
enchaînait vainement les formules. Car la plupart
des invités ne l'écoutaient que d'une oreille. Impo-
tents, gâteux ou sourds, ils luttaient contre l'endor-
missement à seule fin de profiter du buffet, prévu
dans une heure.

Le numéro 1 du parti céda la parole au numéro 2,
qui la passa au numéro 3 et ainsi de suite jusqu'au
numéro 12. 1 réapparut pour confesser qu'il était
aussi un chanteur d'opérette et que, si la salle le
désirait, si les signorinas de la salle se mettaient à
genoux pour l'en supplier, il entonnerait le nouvel
hymne du PIP, en vente, dès demain, chez tous les
bons disquaires. Il s'esclaffa car c'était une farce,

et que comme il s'y connaissait en bonnes farces, il y en aurait plein, des farces, au cours de la soirée. Il se reprit : «Une extrême attention… et un torrent d'applaudissements messieurs et dames s'il vous plaît pour accueillir comme il se doit celle que même Dieu il s'en mord les doigts d'avoir fabriquée (farce), celle qui mérite d'être élue ministre des Transports, vu ce qu'elle transporte… sur elle (farce). Mesdames, et surtout vous, Messieurs : standing ovation pour la fille de Llona Anna Staller, notre Cicciolina!»

Une panière à pain vide entre les mains, l'espoir d'Italie monta sur scène et, après une première allocution complètement ratée, fit le tour des tables pour recueillir les chèques de bienfaisance. C'était exactement ce qu'il fallait pour ranimer les invités et prouver à Doriane qui venait d'arriver qu'elle s'était trompée de soirée. Talonnée par Francine, la Sénégalaise continuait cependant de marcher, parfaitement consciente des regards en coin, des raclements de gorge, des sourcils froncés, des grincements de chaises, de phalanges et de dentiers que l'irruption de deux femmes noires dans cette salle des fêtes suscitait.

«*Amoul* peur… *amoul* emmerdement» fredonnait-elle intérieurement, au rythme des battements de son cœur et du claquement de ses talons sur le sol. Il lui revint en mémoire qu'elle n'avait pas toujours été indésirable. Un jour, il lui avait même semblé que la terre gravitait autour d'elle. Des hommes s'étaient battus pour lui plaire, des mères l'avaient citée en exemple, des gamines l'avaient suivie dans les rues de Dakar pour lui réclamer des sucettes et des poupées mannequins. Mariée au Blanc, elle avait eu droit au respect et à la bénédiction des siens. «Marème a voyagé. Marème a réussi. Que Dieu la protège», s'écriait-on dans le salon meublé blanchi par le soleil de la villa du Point E. Et tous ceux-là qui priaient pour elle, ces visiteurs assis pieds sous la table et mains dans les poches, face à sa mère, s'arrangeaient toujours au bout du compte pour déballer leurs problèmes : un baptême à financer, un marabout à payer, le voyage d'un cousin, d'un neveu ou d'un voisin vers l'Europe. Tant de frais, mais avec quel argent?

«La fille d'Oumou a réussi. Là-bas, elle vit bien. *Amoul* peur, aucun problème.» Ainsi rabâchaient les vautours, ce gang de mendiants qu'allécherait son déclin. Comme ils se gausseraient d'elle, s'ils savaient.

Doriane sursauta en entendant roucouler le leader du parti. L'homme, à sa manière, rendait hommage aux Africaines : «*Amato non sarai, se a te solo penserai*. Comment ne pas penser à vous, *negras!* Vous qu'un ministre dont je tairai le nom a eu l'indélicatesse, le culot, de traîner dans la fange. Mais

on ne répétera pas les mots que ce *buffone* a dits,
vero? On ne répétera pas ses gros mots, hein? Et
vous savez pourquoi, hein? Parce que NOUS, Parti
Italia Pulita, nous avons foi en une Italie où toutes
les races (trémolo dans la voix), toutes les classes
sociales et tous les sexes auront leur part du gâteau.
Et vous voulez que je vous confie un secret? Quoi?
Je ne vous ai pas bien entendues? Voulez-vous que
JE vous confie MON secret? Le PIP vous aime
aussi! Le PIP c'est la maman de tout le monde.
Le PIP… Vous m'entendez? Le PIP dit… (courte
pause à fonction mélodramatique). Oui, oui, notre
PIP dit : vive l'Italie bigarrée mais propre!»

Parce que sa lourde panse ne lui permettait
pas de cabrioler ou de faire le poirier, le poisseux
attrapa Cicci par la taille et, tout en chevrotant
«*Pulita Pulita Italia/Pulita Pulita e Bella…*», s'ap-
pliqua à danser. Ce n'était pas la même farandole
que celle de Sicile. Celle-ci s'inspirait davantage de
l'aérobic. Les cuisses fléchies, les avant-bras relevés,
il fallait se pencher en avant, puis en arrière, avant,
arrière, avant, etc., sans oublier de sourire.

Accablées par ce vacarme et la lumière bilieuse
des néons, les deux Africaines s'orientèrent vers
le fond de la salle et s'installèrent à la table d'un
barbu, d'une veuve acariâtre et de ses trois grands
fils. «Donne-toi un peu de mal», répétait la vieille
au plus rond d'entre ses hommes cependant que

l'obèse expirait bruyamment et s'acharnait à se moucher sans mouchoir. Elle lui reprocha ensuite de manquer d'ambition et évoqua ce poste d'expert-comptable auquel il aurait pu prétendre s'il s'était montré moins mauviette avec son supérieur soi-disant tout-puissant alors qu'il ne valait pas un *centesimo*. Seul le cadet semblait la combler, son corps trop juste, comme il existe des pantalons trop serrés, guindé dans une queue de morue grise et dans cette peur maladive qu'il avait des femmes. Il avait rougi fort en voyant approcher Doriane et Francine puis bredouillé un ciao vasouillard, doublé d'un *mi scusi* parce qu'il devait se rendre aux toilettes. Les w.-c. occupés, il dut faire dans le parc et revint s'attabler quelques secondes avant le second discours de la fille Staller.

Un galimatias. La copie de sa mère butait sur tous les mots. Se serait même mise à pleurer si le leader numéro 1 ne s'était rué sur elle pour récupérer le micro. À vrai dire, il le lui arracha des mains, le microphone, et, pour s'assurer qu'elle ne la ramènerait plus, ordonna discrètement qu'on l'expulsât de la salle. Seul sur le podium, le voilà donc qui rempilait : «Encadrer la jeunesse, nettoyer les villes, repenser l'idée de nation et prouver aux connards qui prétendent que notre pays est un pays de vieux et ne changera jamais, que tout arrive en Italie. Que nous aussi, on peut la faire la révolution!»

Le *primo corso* fut servi mais Doriane n'y toucha pas. Ce n'était donc que cela, un gala de bienfaisance : des tables avec des gens autour, des clowns et une bécassine sur une estrade, de l'argent à jeter dans un panier, des sièges inconfortables, des toilettes apparemment bouchées, et deux mini-clubs sandwiches de polenta par personne. Quant au standing des invités, il y avait de quoi être découragé. À leur accoutrement, on comprenait tout de suite qu'ils étaient économes et banlieusards. Certains d'entre eux devaient venir de province, de cette Italie dont la Sénégalaise n'avait aucune connaissance claire et qu'elle se représentait sauvage et rétrograde. Comment pouvait-on être éclairé quand on vivait en dehors de Rome ?

Elle se retourna vers Francine. L'Ivoirienne était en ligne avec un barman du Salotto 42 bis, un bar à la mode. Elle insistait pour parler au directeur de l'établissement qu'elle affirmait connaître *intimement*. Elle hurla car le leader numéro 1 s'était mis à entonner à l'octave l'hymne national que l'ensemble des invités répétaient comme des moutons, des larmes de grand-mère et des étoiles à cinq branches dans les yeux.

Dans cette salle, fichée au fond d'un parc, sans doute rêvaient-ils tous d'unité nationale, d'un Garibaldi décongelé, la chemise propre et grande ouverte sur un torse pubescent. Et dans cette péninsule de l'an trois mille, Italiens et Italiennes se tiendraient la main et se serreraient les coudes comme dans une tarentelle.

«On ne pourra jamais s'en sortir. Dans ce pays, on aime trop l'opérette.» La tirade venait du barbu et s'ouvrait sur un long récit des exploits de Victor Emmanuel II, le fondateur de la Botte. Le ton était péremptoire, d'aucuns oseraient dire : fasciste, tant l'homme poilu semblait se croire au-dessus des autres, des deux cent cinquante-quatre et quelques convives plus la veuve que comptait la salle. «J'adore mon pays, MAIS», ajoutait-il à chaque tête de chapitre, et le sourire narquois qui plissait systématiquement ses lèvres commençait à échauffer les oreilles de la vieille veuve. Qui se fâcha pour de bon.

L'Italie, c'était elle. Elle était née à Naples en 1934, soit moins d'un siècle après la mort du premier roi et quelques années avant la création du Chant des Italiens.

— Je m'excuse mais on ne peut pas parler sérieusement de l'Italie quand on est napolitaine, lui rétorqua le poilu. Suite à quoi, il se tourna vers ses voisines dont il parut remarquer l'existence : Ciao! Come sta? fit-il en agitant sociablement la main.

Les deux Africaines répondirent sans entrain. L'une parce qu'elle était encore en ligne, l'autre parce qu'elle se méfiait des fiérots.

– Dans l'immeuble où je loge, la femme qui s'occupe d'entretenir les communs vous ressemble. Elle vient d'Érythrée. Vous aussi, vous venez de là-bas ?

Doriane secoua la tête.

– Éthiopie ?

– Sénégal, soupira la jeune femme. Et elle, c'est Côte d'Ivoire.

– Quand j'étais étudiant, je travaillais dans l'humanitaire et un été on est allé dans la commune de Kampti, Haute Volta. On a passé une semaine dans un village. Et alors, ce qui est passionnant, là-bas, c'est de visiter leurs maisons. Ils vivent dans de toutes petites fermes en terre. À l'intérieur, c'est assez sombre et, la nuit, les bêtes et les hommes dorment ensemble. Ça se fait aussi chez vous ce genre de constructions ?

D'autres questions, plus personnelles, lui traversaient l'esprit, mais il lui aurait fallu plus d'audace pour les poser.

On apporta le plat de résistance. Les spots diffusèrent des halos argentés et le responsable du département *Divertissements Évasion & Événementiels* du PIP apparut. C'était son heure, l'heure de Donino. Où, s'avançant à petits pas sautillants entre les tables, il gazouillait l'hymne de la nation. Il avait la pourpre aux joues et dans ses yeux, regriffonnés au khôl, se reflétait l'indéfectible passion d'un homme pour sa patrie et pour sa propre personne.

Quand quatre-vingt-dix-neuf pour cent des êtres humains rêvent au moins un matin sur deux de changer de tête, de vie, Luca Donino s'enorgueillissait tous les jours d'être lui. «T'es un sacré bonhomme», se convainquait-il au réveil, après avoir embaumé son bouc, ingéré sa demi-cuillerée de poudre de testicules de taureau, vérifié l'irréprochable blancheur de sa dentition, l'éclat du diamant vingt-sept carats accouplé au lobe de son oreille gauche, la tonicité de ses bas de contention, le velouté de son cul épilé et cuivré, après s'être assuré enfin, dans le miroir amincissant de sa salle de bains évidemment marbrée, qu'aucun cheveu blanc n'avait profité de son sommeil pour pousser. Un sacré coco en effet que ce Donino. Angoissé et émotif.

Impressionné par les longues jambes gainées de Francine, il s'arrêta de chanter et s'approcha d'elle. «Ciao bella mia! Heureuse?» L'Ivoirienne minauda puis énonça des évidences en branlant la tête, à la manière d'une reine du R'n'B dans une cérémonie des Grammy Awards. Formant le V de la victoire avec ses doigts, elle se rassit sous les bravos exaltés de Donino qui lui flattait la cuisse.

«Des porcs», songea Doriane en croisant le regard ouvertement lubrique du barbu et des rejetons de la veuve sur elle. Alors, tout le boucan de Sally, les bruits des nuits de Sally, comme des milliers de poings, l'assaillirent et la ramenèrent des années en arrière.

Elle avait seize ans. Elle se trouvait à Mbour dans la maison de sa tante Fouzia. Le jour avait tourné. Déjà la nuit. Des remugles de poisson frit emplissaient les pièces, en plus de toutes ces odeurs que renferment ces villes sans destin de la petite côte, Doriane se souvenait de chaque détail de l'habillement de sa cousine Fatime, les volants de sa jupe, les ailes de papillon peintes sur ses ongles de pied, ses seins durs dans un soutien-gorge bien repassé. Ce soir-là, Fatime l'avait convaincue de l'accompagner à *L'Étage*, cette discothèque de Sally-Portugal où une fille pouvait rencontrer l'âme sœur. Pourvu qu'elle fût jolie et maligne.

Tard dans la soirée, une Audi les y avait emmenées.

Le club était petit et ça dansait serré. Des jeunes femmes dansaient avec des étrangers, ou seules devant un miroir. La plupart fumaient et avaient dormi au moins une fois avec un Blanc. Certaines recevaient chaque semaine un coup de fil émis depuis Toulouse, Turin, Paris où, fripé et sans slip sur un lit, un homme leur demandait si elles pensaient fort à lui, s'il était vrai qu'elles le trouvaient *chou.* Chaque semaine, la même conversation. Et aussi les mêmes silences après que le Blanc eut glissé, pas toujours parce qu'il le pensait, son *je t'aime tu me rends fou tu me manques* de routine. Silence de cimetière, après quoi, sur les conseils d'une copine tordue en quatre de rire, la fille qui avait déjà dormi avec un Blanc répliquait par un mensonge : elle avait perdu l'appétit, elle faisait des rêves tristes, elle était enceinte. Et parce que la charité d'un seul *chouchou* ne suffirait jamais à entretenir toute une famille, ces filles revenaient devant leur glace tous les week-ends.

« Elles font les belles, elles se prennent pour des biches, mais c'est des super *bitch*. Les villas près du goudron, c'est pour elle. C'est là-dedans qu'elles font la putain. »

C'est ce qu'un client sénégalais un peu schlass avait expliqué à Doriane cependant que Fatime était sortie *prendre l'air* au bras d'un vieux blond oxygéné portant une coupe de légionnaire et deux chevalières par pouce. *Les prenant-prenant*, c'était le nom que donnait la cousine à ces « flirts poussés ». Câlins contre argent. *Personne ne donne. Chacun prend ce qui l'intéresse.*

De retour à Dakar, Doriane avait préféré oublier cette escapade. Mais elle était devenue plus ombrageuse, s'effarouchant du désordre inhabituel qui régnait dans la maison de ses parents. Que s'était-il passé en son absence ? Qu'était-il arrivé à sa mère pour qu'elle mît en pièces les costards et les boubous de son mari ? «Ta maman est une imbécile. On ne sabote pas son ménage sur un coup de tête.» Voilà comment une tante lui avait résumé la situation. Les autres femmes de la famille pensaient pareil, qu'une Sénégalaise bien mariée doit savoir faire *mougne*, c'est-à-dire : la fermer, accepter par exemple que son mari en épousât une autre s'il en avait les moyens.

Doriane avait réintégré le lycée et répondu aux lettres de Jonas. À compter de quand s'était-elle mise à rêver de lui plus librement ? À se promettre *croix de bois croix de fer si je mens je vais en enfer* qu'elle ne laisserait aucune coutume la gouverner. Qu'elle ne pourrait pas au pays *en tout cas*.

Dans un rictus qui dévoila ses gencives bleues et le piercing en forme d'étoile sur sa langue, Francine proposa à Doriane et à Donino de terminer la soirée au Salotto 42 bis. «Bravo!» L'Italien embarqua les deux Africaines dans sa berline, qu'il fit gronder comme un homme qui déteste perdre. «Vous n'êtes pas frileuse?» cria-t-il à Doriane installée sur la banquette arrière. Il abaissa le toit de son joujou sans écouter sa réponse, absorbé qu'il était par les feux à griller, les voitures qu'il doublait et les charmes de Francine. Il quitta les voies rapides pour s'enfoncer dans le centre-ville et se gara devant le bar lounge dont il franchit les portes au pas de cow-boy.

Il manqua faire demi-tour en pénétrant dans le salon bondé de modeux de moins de trente ans. Devait-il rester léger et faire semblant de ne rien voir ? Ressemblait-il vraiment à *ça* ? Le Donino que lui renvoyaient les miroirs vénitiens du Salotto était différent de celui de sa salle de bains. La mâchoire avait perdu sa ligne, le crâne ses cheveux. Le corps semblait tassé, encombré de bourrelets qui tendaient grotesquement sa chemise empesée de sueur. Avait-il atteint l'âge où ce qui convient aux chiens convient aux hommes ? Dans un magazine spécialisé sur les animaux domestiques, il avait été frappé par cet article : *Si votre chien prend de l'âge, sachez que son corps est plus sensible aux changements de température et aux efforts intenses. Continuez à le sortir régulièrement, mais réduisez peut-être la durée des promenades. Il sera plus en forme et souffrira moins de son arthrose. En outre, faites-le dormir sur une couverture ou un coussin pour qu'il n'ait pas froid.*

Desserrant la ceinture de son pantalon d'un cran, il se remonta le moral en inventoriant ses dernières victoires. Cette semaine, il avait commandé sur télé-achat deux coffrets Soins du visage & du corps du Roi Salomon. Il avait exécuté dix fois vingt pompes au lieu de dix fois quinze et réussi à dire à Ornella, sa future ex-belle-mère, qu'il était insensé qu'elle persistât à repasser ses chemises étant donné la situation (il divorçait). Ses chemises, il pouvait les confier à sa propre mère ou s'en occuper lui-même. *Tranquilo.* D'abord le col, en insistant sur les pointes pour éviter qu'elles ne rebiquent. Les épaules, en veillant à ce que la couture de l'empiècement soit parallèle aux bords de la planche à repasser. Puis les poignets, les manchettes, les manches, l'avant et le dos.

Amerrissant sur une banquette, il s'épongea le front et les tempes. Défit son nœud papillon, retroussa ses manches. Hors de question d'avoir l'air de son âge et l'allure du type arrivé là par erreur. Il claqua des doigts : «Champagne!» et, se rappelant qu'il n'était pas venu seul, passa avec possessivité un bras autour des épaules de Francine. «On y va!» fit-il après qu'ils eurent vidé la bouteille à trois.

Doriane se réveilla avec une odeur de chat dans le nez. De poils et de pisse de chat, comme si la bête avait passé la nuit sous son lit parmi ses chaussures. Une robe de chambre sur le dos, des chaussettes trouées et des tongs au pied, elle ouvrit la fenêtre de sa chambre et la referma aussitôt. L'odeur venait de l'appartement du dessous, de ce voisin qui ne lâchait ni salut ni bye-bye à personne, travaillait dans un chenil et se nourrissait de barquettes alimentaires puantes dont même un chien ne rêverait pas. Elle se déshabilla et s'enfermant dans la cabine de douche laissa l'eau froide s'abattre sur son dos.

Elle se tenait maintenant devant son frigidaire. Elle passait en revue chaque compartiment et songeait : « Je vais descendre acheter des bananes jaunes. Je les ferai frire et ce sera parfait.» Mais elle regagna son lit et enfouit sa tête sous l'oreiller.

«J'ai trop bu. Je suis une mauvaise fille, je devrais être lapidée.» Elle n'était pas certaine, en vérité, de le mériter. Qui croyait encore en sa vertu pour l'écharper au nom de Dieu? Qui était assez candide ou crédule pour prétendre vouloir la sauver? Elle ne valait plus grand-chose. Ni l'amour ni la furie des hommes.

Quatorze heures dix-sept. Elle entendit le bourdonnement de son mobile, l'automatique *allô allô* de sa mère Oumou, suivis de ses *nanga def et la santé?* Comme si le reste, qui était, pour elle, l'essentiel, ne méritait pas qu'on s'y intéressât. «Je te rappelle tout de suite», l'interrompit Doriane en glissant sa main hors des draps à la recherche d'une carte téléphonique prépayée, une carte *Pour l'Afrique, Bonjour l'Afrique*, ou bien *Amis d'Afrique*, de cent vingt unités, à condition, les cent vingt unités, de téléphoner depuis un fixe vers un fixe, de parvenir à déchiffrer le code secret inscrit au dos de la carte, de braver les problèmes chroniques de friture sur la ligne et de supporter cette voix robotisée pré-enregistrée susceptible à tout moment de vous annoncer que votre interlocuteur n'était pas joignable pour l'instant ou que votre crédit étant miraculeusement épuisé, il vous restait à peine de quoi trompeter un «Bonjour l'Afrique, ça va l'Afrique?»

Bien qu'anodins, ces incidents téléphoniques minaient Doriane. Ils étaient un signe concret de son exil. Elle ne reviendrait pas avant longtemps à Dakar. Elle ne reverrait peut-être jamais sa mère.

Elle composa le numéro de la villa du Point E et suivit d'une oreille distraite les potins d'Oumou, qu'elle se représentait installée dans son fauteuil fétiche, ses mollets vieillissants trempés dans une bassine d'eau mélangée à du bicarbonate. «Ici ça va, *amoul* problème», fit-elle après que ces nouvelles du pays (on avait enterré, marié ou baptisé tel ou telle) eurent déferlé sur elle. Songeant à sa chambre et à ses posters de fille, elle prit une profonde inspiration. *Si c'était à refaire ?* Elle se retenait de pleurer.

«Allô ?» Elle desserra les lèvres pour rassurer sa mère, mais la voix mécanisée de la compagnie de téléphone lui avertit qu'elle n'avait plus d'unités.

Elle s'enfonça sous la couette. «C'est du vol.» Puis se concentra de nouveau sur ses bananes plantain. Elle descendrait en acheter plus tard n'importe où, puisque la plupart des grandes surfaces en vendaient. Elles s'étaient lancées dans ce business, tout comme elles avaient fini par adopter les mangues du Pérou, les ramboutans d'Asie, les piments des Antillais et les lentilles roses des Indiens. Parfois, il leur arrivait même d'embaucher un étranger pour promouvoir ces denrées exotiques. Elles l'habillaient d'un pagne, d'une robe madras ou d'un sari et l'installaient derrière un stand avec un micro chanteur. En se séparant de Jonas, c'est ce genre de mission que Doriane avait dû se coltiner pour gagner son argent. Avant de s'employer comme vendeuse dans des boutiques de luxe, elle avait donc été marocaine à Carrefour, antillaise à Euroma2 et tahitienne à Auchan. En plein ramadan, elle s'était même retrouvée à animer un espace *dattes* identifiable de loin grâce au palmier artificiel qu'on avait greffé dessus et ce médiocre raï en boucle qui tapait sur les nerfs.

Dans la soirée, Francine tenta de la joindre, mais Doriane ne décrocha pas. Elle n'avait pas la moindre envie d'écouter l'Ivoirienne lui raconter sa nuit d'accouplement avec son nouveau sponsor. Elle se sentait faible, comme si quelque chose en elle, quelque chose comme le désir, avait brusquement disparu ou s'était déplacé. D'où lui venait cette défaillance, cette nouvelle fragilité ? Peut-être était-elle à un tournant de sa vie ? À la recherche de signes annonciateurs de cette *réforme* (elle se forçait à croire que ce qui viendrait serait moralement, sentimentalement et économiquement meilleur), elle dut admettre qu'elle n'en trouvait aucun. Ces derniers temps, elle avait plutôt eu l'impression de tourner en rond. Pas seulement avec les hommes, mais avec elle-même. *Eh bien te voilà qui recommences à geindre!* Elle bascula sur le ventre, s'endormit comme une pierre et rêva.

Elle rêvait qu'un oiseau plutôt volumineux, pélican gris ou bien oiseau pirogue, traçait des cercles et des losanges dans le ciel. La plage ressemblait à de la moquette : pas un seul coquillage, pas un chien, plus de pêcheurs. Elle était en train de marcher dessus, vêtue d'une jupe qui remuait. Elle était jeune. Elle ressemblait à une enfant peule avec sa crête fixée au crâne et beurrée au karité. Comme dans les rêves, rien n'était logique : l'oiseau se métamorphosait en cheval, le soleil tournait autour de lui-même, les nuages avaient des yeux et des bouches qui riaient. Elle s'apprêtait à quitter la plage lorsque deux mains de garçon lui ceinturèrent la taille et la plaquèrent contre le sol. Elle connaissait le nom de l'intrus qui forçait sa bouche puisqu'elle lui suppliait, au nom de Dieu le Miséricordieux, de la laisser tranquille. En vain. En un clin d'œil, elle se retrouva nue, à la merci de son agresseur qui l'entraînait vers l'océan. Elle frissonna lorsqu'il la plongea dans la grande eau parce que la mer était glacée et gluante. Elle cracha. Sa salive avait un goût de Fanta citron et de sel. Des vagues l'écrasèrent. Elle n'eut pas le temps de bloquer sa respiration.

Repoussant le duvet qui l'étouffait, Doriane bondit du lit et se jeta sur l'interrupteur. Elle alluma ensuite le téléviseur et regagna à petits pas poltrons sa couche en bazar.

«Rien de grave. J'ai juste fait un cauchemar.» Mais elle n'en croyait rien. Elle savait que le garçon du rêve avait existé autrefois, qu'il l'avait aimée pour de vrai, mais qu'elle s'en était moquée. Maintenant, elle se souvenait précisément de lui, et la honte, en même temps que le remords, la saisissait. «Biram Seye Diop», articula-t-elle comme pour lui rendre le respect qu'il méritait. Il lui avait appris à mater un molosse, attraper les mouches avec un sac plastique, nager le crawl arrière sans boire la tasse, la différence entre un calot et une bille, le secret de John Wayne pour abattre vingt Indiens en même temps, le nom des Brésiliens de Rio, la recette des sardines à la margarine, l'histoire des nègres qui dansaient les claquettes sur le toit d'une esclaverie désaffectée en bordure de Mbour, d'un cloaque, pour dire franchement les choses, avec ses portes et ses étages inutiles, son escalier mal foutu, son balcon qui tenait à peine et qui, par temps clair, donnait sur l'Europe, selon la théorie de Biram.

En ce temps-là, Doriane craignait les hommes. Elle ne savait jamais quoi leur répondre lorsqu'ils la taquinaient. Où se mettre, quand ils la reluquaient. Elle n'avait encore embrassé personne sur la bouche. Elle rougit. Une fois, Biram et elle s'étaient touchés. Mais après tout, elle était jeune et quand on est jeune, ça ne compte pas, le premier baiser. Ça déçoit.

«Biram Diop», répéta-t-elle sans plus aucune compassion. Elle ne lui devait rien. Il s'était monté la tête tout seul en se figurant qu'avec le temps elle s'enticherait de lui. Deux ans après leur rencontre à Mbour, il en était encore convaincu, au point de venir chez elle faire son numéro. Car, vraiment, oui, vraiment, il ne s'était pas pris pour une merde, Biram Seye Diop, avec ses parfums musqués, ses chemises à col debout dégriffées et ses longs déroulés de jambes comme si le salon de Oumou avait été un stade ou un podium. Elle chassa à coups de balai l'image du Mbourois : «Sottises, gamineries. »

Sous la bruine, la Piazza Vittorio Emanuele II n'était plus qu'un lieu de croisement pour parapluies et cabas à roulettes. Un déploiement de corps cheminant vers un même point ou en revenant : le *Nuevo Mercato*, ce marché alimentaire couvert où se coudoyaient toutes sortes de produits locaux et exotiques à prix évolutifs. Vers treize heures, à la fin du marché, on tombait sur de sacrées affaires : des lots de tout pour à peine deux euros, dont on jetait les deux tiers le jour même, soit. Mais l'un dans l'autre.

« J'aurais mieux fait d'aller à Auchan », songea Doriane en logeant dans un sac filet le litre d'huile de palme et la patte de plantains trop mûrs qu'un marchand bâtard (1/3 italien, 1/3 indien, 1/3 érythréen) venait de lui brader. Louvoyant parmi les cabas et une foule de plus en plus dense, elle se retrouva au fond de l'aile est du marché, chez un traiteur asiatique À emporter ou sur place.

Elle commanda une barquette de riz gluant qu'elle dégusta au comptoir, tout près d'une table où une poignée d'hommes débattaient de chômage et d'immigration. Un long Noir aux pommettes tragiques craquait : « Maintenant, il n'y a rien pour nous en Italie. Moi, je ne travaille pas, mes amis, ils ne travaillent pas. On cherche pas les milliards mais quand même, on est venu en Europe pour gagner. »

Un autre Noir (Noir-bordeaux), un ordinateur portable ouvert sur ses cuisses, intervint. Il ne parlait pas d'argent, celui-là, mais de dignité humaine. Il était d'un physique ennuyeux. Sa moustache dégarnie n'arrangeait rien à l'affaire. Sa veste en cuir faisait *j'ai mis une veste en cuir.*

— Tu veux te tirer en Espagne mais y a rien à gagner là-bas, affirma-t-il en consultant des dossiers imaginaires sur son PC. Nous, on y est déjà allés pour rencontrer les frères qui travaillent dans les serres. On leur a dit : « Sans contrat, sans assurance, il faut refuser de travailler. » Ils ont fait : « Oui, mais, nous, on a besoin d'argent. On a pas le choix, on a la famille à nourrir baba baba baba baba… » On est repartis et ils sont restés. Est-ce que tu saisis ? Les gars sont mal payés, les gars se font exploiter, mais comment tu veux qu'on les appelle *monsieur*, si eux-mêmes ils se respectent plus ?

Un Blanc hocha la tête en regardant ses pieds. Un Noir (Noir-gris) raconta son aventure. Il venait lui aussi d'Éthiopie et, pour atteindre l'Europe, était passé par une dizaine de pays puis par le Maroc où il s'était caché six mois dans la forêt de Gourougou. *Total*, il était entré en Espagne et, de 2007 à 2009, avait cueilli des aubergines et des tomates à Almería. Il secoua la main au souvenir de ce Sud gonflé de *vernaderos*. Où, usés jusqu'à la corde, les hommes ne se déplaçaient qu'en fonction des récoltes. À Juan, il avait été payé trois euros jours à ramasser des olives. Mêmes tarifs à Oulba où il s'était bousillé les ongles avec le raisin. Il s'interrompit en voyant décamper l'autre Éthiopien.

— Lui, il pense qu'il n'a pas le choix, s'exclama l'intellectuel en cuir en s'adressant, à présent, directement à Doriane. Mais tout le monde a le choix.

Il lui tendit un prospectus.

— Non merci, fit-elle en amorçant un mouvement de recul.

Il insista.

— Non vraiment, répéta-t-elle plus fort, plus sèchement. Je ne suis pas intéressée.

— Moi, c'est le contraire. Tout m'intéresse. Je m'occupe de politique internationale. Tu as entendu parler des grèves de Las Palmas? Eh bien, c'est ça mon métier : créer des grèves. Tu dois te battre pour tes droits, c'est ma conviction. Les rampeurs, ils n'ont qu'à rentrer dans leur pays!

Les yeux de Doriane revinrent se poser sur le petit groupe de champions des droits de l'homme, installés comme pour un colloque. Elle plaignait leurs femmes. Ces hommes étaient probablement tous des manchots. Des grands poupons, égoïstes et durs.

— Je ne suis pas libre dimanche, déclina-t-elle platement après que le Bordeaux l'eut invité à une marche d'amitié avec la communauté Rom. Elle n'avait pas besoin d'amis et encore moins d'un grand frère qui, sous ses dehors de perche instruite, finirait tôt ou tard par se conduire en primitif, dormir dans son lit, dévaliser son frigidaire, héberger cousins et pseudo-tatas chez elle sous prétexte que toute cette compagnie n'avait plus de papiers et appartenait au clan des opprimés. Elle avait déjà trop donné. Trop payé. Et pour obtenir quoi? Des vétilles. Pas même un merci. *Que dalle.*

Les jours qui se levèrent ensuite tombèrent comme des quilles. Doriane se nourrit de plantains, rêva de malheurs et répondit à quatre annonces d'emploi. L'unique entretien qu'elle décrocha se déroula à souhait. Le patron recherchait une vendeuse conseil avec de l'expérience et une présentation irréprochable. Qu'elle fût charpentée et parlât plusieurs langues l'agréait puisque ses clients étaient arabes, australiens ou japonais. Bref, elle fut engagée un jeudi et une semaine après décida de démissionner. Ce n'était pas d'une demoiselle de boutique dont le magasin de prêt-à-porter avait besoin mais d'une vraie pomme capable durant huit heures d'affilée (payées seulement six) d'encaisser les insinuations d'un responsable de rayon indigent et sexuellement déviant. Elle méritait mieux que cela, elle n'était pas nécessiteuse au point de supporter un tel affront. Sans soucis de son dû et des sauces d'eau qui battaient le pavé, elle renfila un soir son imperméable et quitta la boutique.

Elle n'était pas sûre de sa route mais marchait raide et lourd à la manière d'un soldat ou d'une Américaine dans un campus. Elle se sentait lasse, près de choir n'importe comment, n'importe où. Les feux d'un véhicule l'aveuglèrent et ses pupilles se dilatèrent comme celles des bêtes. On ne traverse pas la rue sans s'inquiéter des voitures, lui signifia, avec de vifs jeux de main, le chauffeur. L'homme redémarra et elle se retrouva seule, au pied d'une façade d'immeuble barbouillée de dessins et d'inscriptions obscènes : *Nero, Nero de mierda, Scimmia.*

Elle connaissait ces insultes. En arrivant à Rome, elle les avait mémorisées aussitôt, tout comme elle avait appris à dire en italien *Bonjour, je m'appelle Doriane, Quelle heure est-il s'il vous plaît? Quelle taille faites-vous? En chèque ou en espèces? Cintre, retouche, bon appétit, il fait beau aujourd'hui, cette jupe vous va comme un gant...* Mais à cause de l'épuisement, de cette pluie et de cette journée de chien, ces mots sales lui coupaient à présent les jambes. Si on avait pu écrire *ça* sur un mur, alors tout était possible. On pouvait d'une minute à l'autre s'en prendre à elle, la rouer de coups à volonté. Qui donc se fatiguerait à la défendre?

Il cessa de pleuvoir. Elle recommença d'avancer avec le même sentiment insistant de panique. Elle marchait dans la peur, et cette peur grandissait avec elle, se détachait d'elle pour cavaler dans son dos. «Il faut que je coure. Je dois courir pour lui échapper.» Ce qu'elle fit, jusqu'à en attraper des points de côté, jusqu'aux premières lueurs électriques qu'elle aperçut devant elle. Elle était arrivée à Termini.

Elle poussa la porte de la guérite de Lucia. S'attabla au guéridon et fondit en larmes. Ses stiletto étaient crotteuses, ses bas couture, filés. Elle se sentait minable, misérable, paumée et se demandait ce qu'elle avait fait au Seigneur, contre le Seigneur, pour en arriver là. Elle le savait. Elle avait cessé de Le louer. Le jour où Jonas lui avait avoué qu'il ne l'aimait plus, elle Lui avait tourné le dos afin d'exercer son libre arbitre, de recourir à la seule arme dont disposent les femmes faibles pour reconquérir et séquestrer leur mari : se faire mettre enceinte. Mais l'enfant était mort dans son ventre et Jonas l'avait quittée.

Lucia lui tapota l'épaule :

– C'est fini. Tout ça c'est du passé.

Doriane continuait de larmoyer, implorant la grâce de Dieu.

– C'est du passé, je te dis. Bientôt, ça va aller car tu es une bonne fille.

C'étaient ces mots-là que la voyante adressait à ses clients après que ces derniers eurent exposé leurs peines de cœur, leurs pannes sexuelles, leurs problèmes d'argent, de peau, de santé, de pension alimentaire, leur malchance au jeu, leur malchance tout court, leurs angoisses, leurs arrière-pensées et leurs projets. Des mots usuels, mais utiles qui, mieux qu'un Dieu charitable et puissant ne l'eût fait, effaçaient illusoirement les péchés de la Sénégalaise, lui rouvraient les portes d'un paradis en miniature : l'enfance au pays. Au souvenir de cette époque-là, Doriane s'essuya les yeux. Elle remettait la laiterie artisanale du Point E lorsque la Peule remplissait de yaourt sa myriade de sachets transparents. Le micmac nocturne des chauves-souris dans les sapotilliers du jardin. La bûche au chocolat 20 parts de la pâtisserie Casanova. Les bains de mer sur l'île de Ngor juste quand la pluie arrive. Bien vrai que son cœur avait été droit. Elle avait été une bonne fille.

L'appartement où elle rejoignit Francine le soir même appartenait à un ami proche de Donino. La salle à manger sentait le homard. Une dizaine de personnes dînaient : un assortiment de femmes minces à peau fine, un adolescent, un couple d'homosexuels et quatre hommes dont deux portaient l'alliance. La paire de gays venait du Maghreb, une femme sur deux était française. Le jeune avait le nez long et l'acné des métis. Luca l'appelait Milan, il l'avait eu d'un premier mariage avec un mannequin d'Afrique de l'Est. «Tanzanie», précisa le gosse sans relever la tête de son magazine de foot. C'était un fou de Beckham. Il connaissait ses scores, ses interviews et ses opinions.

Après le dessert, un homme mit de la musique calmante et servit aux autres un alcool sucré, qu'ils burent au salon, lovés dans des canapés moelleux. Ce n'était pas désagréable d'être là, songeait Doriane en grignotant des cœurs fourrés à l'orange. Il n'y avait aucun rôle à tenir, aucun effort, même physique, à produire. Il suffisait de rester assise sans rien dire et de profiter des douces choses de la vie. *C'est un début.* Elle n'avait jamais mis les pieds chez un Italien de souche. Les hommes qui la sortaient l'emmenaient en club, au restaurant ou à l'hôtel. Elle soupira et serra sa tasse contre sa poitrine. À l'autre bout de la ville, il y avait son train-train qui l'attendait, sa collection de chaussures enfermées dans leur boîte, sa couette en polyester une personne. Cette solitude qui lui sauterait dessus dès qu'elle rentrerait. Au fait, quelle heure était-il ? Avait-elle de quoi se payer un taxi ?

— Je vous ressers ? lui proposa un homme à sa gauche, court de corps et au visage compliqué.

Il remplit sa tasse et lui rappela son prénom : Giovanni. Il avait fait son service militaire et ses études avec Luca. Il avait pris femme une fois et occupé un poste intéressant à Boston. Un jour, il s'était senti nostalgique de l'Italie. Il y était retourné et habitait depuis trois ans cet appartement.

— C'est beaucoup trop, déplora Doriane en se remémorant compendieusement ses trois dernières années. *Départ de Paris. Arrivée à Rome avec Jonas. Fausse couche. Clash. Déménagement forcé. Divorce. Galère. Jobs. Galères. Vendeuse chez Dolce e Gabbana. Rencontre avec Francine. Poste de chef de rayon chez Benetton enfants. Stefano. Andrea. Vendeuse-conseil chez Gianfranco Ferré Homme. Désiré, John,*

Fabrizio, etc. Première vraie quittance de loyer. Re-Stefano. Rocco. Galère.

– C'est parce que vous êtes jeune que vous parlez ainsi. Quand on vieillit, un an ça dure un jour.

Giovanni la regardait avec ce flegme définitif des hommes d'expérience. Il était fort. Il inspirait confiance.

C'est ce que, trois ans plus tard, s'obstinait à penser Doriane alors que sa main effleurait le cou robuste de l'Italien, son torse feuillu grisonnant, la chair chiffonnée de son sexe encore abruti du sommeil du juste. Le jour pointait et elle n'avait pas fermé l'œil de la nuit. Elle se sentait fourbue comme si le bon millier de moutons qu'elle avait vainement comptés pour s'endormir lui était passé dessus. Elle branla plusieurs fois les jambes pour s'assurer qu'elles étaient entières, puis ses yeux firent le tour de la chambre comme pour un dernier inventaire.

Il y avait un paravent de Venise, un secrétaire à abattants et un tableau de nu à poitrine de pomme. Quatre fauteuils géométriques, deux commodes en marqueterie ainsi que trois fenêtres hautes encadrées de doubles-rideaux avec embrasses. Une armoire contenait une cinquantaine de robes de marque, différents pantalons et vingt-trois manteaux. Une autre était réservée aux sacs à main et aux chaussures. Des tapis modernes couvraient des carreaux d'époque. La tablette de la cheminée supportait des babioles en étain. Une porte donnait sur une salle de bains et une seconde permettait de sortir.

Elle leva les yeux au plafond, vers cette ronde d'angelots qu'un ami de son mari s'était cassé la tête à peindre. La plupart avaient les cheveux frisés, le nez en trompette et une bedaine. Leurs doigts agiles et crochus leur servaient principalement à manger et à faire des farces. Pas sûr qu'ils aient bon cœur. Doriane les soupçonnait de n'être qu'une grotesque incarnation d'Iblis.

Elle quitta le lit, la chambre conjugale et, au fond d'un couloir, pénétra dans une pièce garnie d'un miroir sur pied et d'une chaise. Une pièce aussi étroite qu'un séchoir. Sa *planque* à elle, où, sans risquer d'inquiéter son mari et de gâter cette bonne vie qu'il lui avait offerte, elle s'octroyait le droit d'être triste, méchante ou ingrate. Retroussant sa nuisette jusqu'à mi-ventre, elle s'approcha du miroir et tâta son corps émacié. *La peau sur les os*, aurait dit sa mère. Elle avait maigri d'un coup à la disparition de Lucia. La voyante avait attrapé un cancer et *paf!* elle était morte.

Elle plaqua machinalement son visage contre la fenêtre. *Il va faire beau* et Giovanni voudra lui montrer la campagne. Ils rouleront longtemps. Ils s'arrêteront dans un restaurant *merveilleux* où

Giovanni connaîtra forcément le patron et le menu d'été dans ses moindres détails.

Le téléphone sonna dans le salon, mais elle ne bougea pas. Le samedi, c'étaient généralement des parents ou des amis de Giovanni qui cherchaient à le joindre. Quelquefois, son associé. Mais jamais le matin, à moins d'une urgence.

Elle entrouvrit la fenêtre pour aspirer une goulée d'air tiède et étudia le jeune couple qui sortait de l'immeuble d'en face. La femme portait des sabots et un dragon tatoué dans le bas du dos. Elle se promenait nue dans son appartement tous les soirs et son copain la tripotait.

L'appareil se remit à corner. Elle décrocha. C'était Luca Donino, *Luca Francine*, tel qu'elle le surnommait lorsqu'elle parlait de lui derrière son dos. Luca et l'Ivoirienne n'étaient pourtant restés que deux mois ensemble. Réalisant qu'elle n'en tirerait rien de bon, ni bague au doigt, ni argent, Francine avait bazardé l'Italien. Théoriquement, elle s'était installée à Bruxelles chez un producteur de musique zouk, maloya et soukouss. Doriane n'avait plus eu de ses nouvelles, mais supposait qu'elle la reverrait. Les deux Africaines n'étaient pas des montagnes.

Le combiné coincé contre son épaule, elle passa dans la cuisine et supporta le soliloque confus de Luca. Dans la même phrase, le quinquagénaire évoquait la fugue de sa chienne, la tentative de suicide de son fils et sa nouvelle love story avec une Ramona de vingt ans, dotée de chevilles de ballerine, d'*un cul de Black* et de cheveux longs magnifiques.

Un fouillis d'amertume et de résignation empoigna la Sénégalaise. À vingt-neuf ans, elle considérait que sa jeunesse était derrière elle. Elle faisait du shopping seule ou avec son mari. Elle possédait différentes cartes de crédit. Elle ne pouffait plus de rire. Elle n'allait plus jamais danser. Elle ne rêvassait presque plus. Et s'il lui arrivait d'effleurer son passé, elle se gardait d'y mettre quoi que ce soit de personnel. Tout était quelconque et sommaire. Elle disait par exemple *Je connais la France*, sans jamais mentionner l'existence de Jonas ou bien *J'ai une grande famille* sans citer personne. Elle refusait que l'Italien l'accompagnât au Sénégal. Elle s'y rendait seule, deux semaines chez sa mère, puis elle reprenait son avion.

Elle entendit Giovanni se lever, tirer la chasse d'eau et siffler.

« On pourrait prendre l'air pour une fois ? Où aimerais-tu aller ? » lui demanda-t-il après son café et une série d'appels téléphoniques. Sa voix était basse, presque hésitante. En trois ans de vie commune, il n'avait jamais entendu Doriane exprimer le besoin de s'aérer ou de se dégourdir les jambes. Elle détestait les randonnées, se méfiait de la mer et ne pratiquait aucun sport. Elle n'était jamais aussi à l'aise qu'à l'intérieur d'une maison ou assise à l'arrière d'une belle voiture. Au début de leur liaison, Giovanni avait pris cette «nonchalance» pour un trait culturel. Il s'était dit : «C'est comme ça. C'est les Sénégalaises.»

Il réfléchissait un peu différemment à présent, et appelait tout bonnement cette maladie : l'exil. Les hommes sont des animaux. Il se représentait un fauve en cage dans un quelconque zoo et se revoyait lui-même à Boston, les premiers mois de son arrivée. Tout alors lui avait semblé gris, laid, trop grand ou minuscule. Il avait arrêté le jogging et était devenu un râleur. Il ne comprenait rien à l'américain et aux Américains, leur indifférence insupportable, mais tellement honnête, ce *sorry about that* systématique qu'ils vous collaient après vous avoir entubés, laminés ou tués. En ce temps-là, sa mère avait encore la santé et c'était elle qui le revigorait avec ses coups de fil et ses colis alimentaires tous les mois, comme s'il n'y avait pas de pâtes, d'olives et d'Italiens en Amérique.

L'image de Boston disparut et Giovanni ceintura sa femme africaine. Elle le dépassait d'une demi-tête. Il avait près de vingt-cinq ans de plus qu'elle et il l'aimait. «Dieu comme je l'aime!»

Un jour, il était allé vers Palerme pour lui acheter une maison. Elle avait appartenu à un pêcheur, au fils aîné du pêcheur, puis à un artisan qui, après l'avoir agrandie et retapée entièrement, l'avait revendue cinq fois son prix à un bourgeois du Nord. Des années plus tard, le bourgeois était décédé, mais aucun de ses héritiers n'avait souhaité s'occuper de la demeure. Après des saisons sans l'ouvrir, ils avaient décidé de la vendre et avaient fait affaire avec Giovanni. L'Italien avait eu de la veine. C'était ce qu'il recherchait : une résidence dans le Sud sans tralala où il viendrait se relaxer avec Doriane.

– On pourrait partir se cacher là-bas, suggéra-t-il, de ce même ton précautionneux.

Depuis qu'ils en possédaient les clefs, ils ne s'étaient rendus dans la maison du Sud qu'une fois. Une semaine seulement, parce que l'hiver s'engageait et que Doriane n'avait pas supporté son vent vif et traître. Elle avait dit : «Ce vent me casse la tête» et répugné se balader sur la plage. «Il n'y a rien ici, sauf la mer et des mobylettes.» Elle s'agaçait toutes les fois où un jeune faisait gronder fort sa bécane ou la montait comme si elle avait été une jument et que l'étendue du village (cinq kilomètres carrés environ) le justifiait. Chaque fois que dans le café où Giovanni commandait ses espresso, elle sentait la rudesse du regard des autres, hommes femmes enfants, c'était pareil. Tous les mêmes, avec leurs tics, leurs préjugés et leur harnachement de péquenauds.

Elle avait inspecté la cuisine, les deux chambres, le séchoir, le salon. Qu'allait-elle faire de tout *ça* ? Comment son époux avait-il pu se figurer qu'il suffirait d'un peu de mer et d'un peu de luxe pour qu'elle se sentît comme chez Blaise dans cette maison ?

Elle avait passé la moitié du séjour sous sa couette.

– Qu'en dis-tu, ma chérie ? On pourrait ne rentrer que mardi ?

Doriane s'écarta de Giovanni pour ouvrir le lave-vaisselle. Ce n'était pas cette maison le problème, remâchait-elle en son for intérieur. Il n'y avait peut-être même pas de problème.

Ils quittèrent Rome avant midi et louèrent une voiture à Palerme afin de se rendre au village.

LAMPÉDOUSE

Biram respirait lentement. Il avait dû se luxer l'épaule. Son bras gauche était aussi raide qu'un parpaing lorsqu'il dut le remuer et reprendre la marche. Son cœur et sa mâchoire claquaient. Il ne sentait plus ses jambes. Comme dans un rêve où, traqué par des méchants, il s'entêtait à courir, mais courait au ralenti. Un compagnon se retourna vers lui et l'encouragea à accélérer. Ce qu'il fit, malgré ses membres tout gourds et ces saletés de figuiers qui lui griffaient la peau. C'étaient probablement les seuls arbres de l'île, jugea-t-il après qu'il eut longé une route et débouché sur un terrain rocailleux ardent où le soleil tombait d'aplomb.

L'un des fuyards leva la main et tous se baissèrent dans un bruissement sec d'os. Fausse alerte. Juste un lapin qui se caletait vers un fourré. «Combien d'années vit un lapin dans les encyclopédies?» se demanda Biram tandis qu'il déboutonnait son jean pour pisser. Il ne donnait à Bugs Bunny qu'une nuit avant de se faire éclater les boyaux par un fusil, ou aplatir recto verso par un véhicule.

Les gars marchaient déjà bon train lorsque Biram se redressa. Tunisie, Algérie et Éthiopie en tête, les deux Turcs à gueule de Sahraoui en queue de caravane. Il ne leur cria pas de l'attendre. Il ne se hâta pas non plus de les rattraper. Il avait trimardé trop longtemps pour oublier que le groupe n'était qu'un leurre, fichaise dans cette vie d'aventurier solitaire, cette vie de Jacques pour mieux dire puisque, après chaque arrestation et reconduite à la frontière, il fallait tout recommencer à zéro : faire de l'argent pour payer sa traversée, s'arrêter en cours de route pour travailler parce qu'il y a toujours, sur cette route, une charogne pour vous dépecer. Amasser, perdre, compter jusqu'à l'arrivée en Europe.

Biram ressassait ses souvenirs. En dix ans d'aventure, il avait croisé un milliard d'humains, serré dix millions de mains, entendu x langues, x accents. Dans chaque bled où il avait séjourné, il s'était fait des copains, des ennemis et des femmes. Mais que restait-il aujourd'hui de tout ce commerce?

Sa douleur au bras le relança. Il avait été mal inspiré de sauter par-dessus le grillage du Centre de rétention provisoire. Il aurait dû ruser comme les autres. Profiter du départ ou de l'entrée d'un véhicule dans l'établissement pour se faufiler vers la sortie. Il n'avait pas réfléchi, pressé de fuir ce foutoir. Car c'en était un. Biram n'avait jamais vu un tel grouillis d'hommes, un tel sens-dessus-dessous de nationalités parquées dans des préfabriqués aux odeurs de chierie et à taille de placards. On les appelait dortoirs. Et il est vrai qu'on y dormait mieux qu'à l'extérieur, cette cour asphaltée où s'entassaient invariablement, quel que soit le temps, les matelas mousse et les nattes des nouveaux arrivants. Un foutoir, *sincèrement*, où il fallait batailler pour ne pas se faire piquer son pain au réfectoire, son savon sous la douche, sa place dans la longue file d'attente devant les latrines. Il chancela. Ici, les pierres coupaient comme des lames. Ses vieilles Converse ne lui étaient d'aucune utilité. Avec le peu d'espoir et d'énergie qui lui restait, il négligea sa douleur, maintint son bras débile contre sa hanche et commanda à tout son corps d'avancer. Il se déplaçait de tout son poids, mais la volée de poussière que larguait la terre calcaire l'empêchait de voir distinctement l'horizon. Il progressait. Et chacun de ses pas le ramenait à son passé, à sa vie de cavales.

Il avait marché comme un fou entre Inhalid et Tamanrasset. Il avait eu chaud et soif dans le désert de Libye. Il avait pris des mers, tourné dans des villes, traversé des gares et des frontières. Il était monté dans des camions. Il avait roulé dans des cars rapides, voyagé dans des rafiots minus et des bateaux de prince. Ce n'était plus jamais Mbour qui revenait lorsque son esprit vaguait. Ses histoires se déroulaient désormais à Tenerife, Kita, Bamako, Naples, Almería, Madrid, Tripoli, Gao, Djamet, Kidal, Niamey, Tinzaouatine.

C'étaient des histoires compliquées. Dans la plupart de ces villes, il s'était bagarré pour survivre. Il avait morflé. Il avait stagné et parfois même reculé, mais il avait toujours réussi à se remettre en route et avait fini par revenir en Europe. Pourquoi s'était-il entêté à y retourner? Pour l'argent? Pour gagner? C'était de l'avoir cru qui l'avait enhardi à faire l'aventure. Il s'était accroché à cette conviction-là avec l'airain de son orgueil, les yeux fermés. Il se serait réveillé qu'il aurait vu les portes de l'Europe se refermer, à chaque pas, sous son nez. Qu'il aurait eu le sentiment d'être nulle part. Ni ici, ni là-bas. D'être piégé.

Sans bien savoir pourquoi, il repassa cette nuit à Mbour où, chargé de ramener le professeur Diabang dans sa tanière, il avait dû le *conduire*. Quelle galère quand les roues du fauteuil s'embourbaient dans le sable! Ça donnait l'impression de s'agiter en vain, d'être constamment au point mort.

La terre s'attendrit, il foulait une plage, tan-
guant entre des paquets d'algues calmes comme
les cheveux des morts. Devant, à quelques mètres
de lui, il distinguait encore la silhouette décidée,
la même pour tous, des cinq marcheurs. Charon,
le passeur, leur avait fixé rendez-vous à vingt-deux
heures. Ils avaient de l'avance, six heures d'appréhension avant la traversée. Biram n'avait jamais eu
à traiter avec Charon et ne savait du trafiquant que
ce qu'on lui avait raconté. On le disait «cuirassé»,
Charon. Pas mal de fric. Des amis haut placés qui
l'autorisaient à faire taxi sur la Méditerranée.

Il retrouva les fugitifs clapis comme des lapins
derrière les rochers, l'oreille au guet, s'échangeant
à voix basse des histoires. L'Éthiopien prétendait
avoir vécu dans sept centres de rétention. Le moins
Turc des Turcs avait un ami qui connaissait un ami
qui connaissait un ami qui connaissait un ami qui
s'était caché dans le train d'atterrissage d'un avion.
L'autre Turc disait que c'étaient des craques, que
personne, à moins d'avoir des poumons d'acier,
n'était capable de respirer dans un train d'atterrissage. Ils s'interrompirent pour faire leurs ablutions
et demandèrent à Dieu la même chose.

La mer n'était plus qu'un amas d'eau sombre
lorsqu'ils perçurent les premiers ronflements d'un
moteur. «Les carabiniers!» L'Éthiopien se leva pour

secouer ceux qui dormaient. Le groupe se scinda en deux. Biram et le gars de Tunis se ruèrent dans l'eau cependant que les autres abandonnèrent la plage et s'élancèrent en direction des figuiers. Turquie 1 et Éthiopie ouvraient la course, Omar et l'Algérien étaient bons derniers. Affolés comme des billes qu'on vient de jeter à terre, les quatre ne maîtrisaient plus leurs gestes. Leurs jambes patinaient vers l'avant, leurs bras les tiraient vers l'arrière. Ils hésitaient entre se rendre et résister et ne furent pas longs à se décider lorsque le fourgon des carabiniers leur barra la route.

Biram céda à la peur lorsque la mer l'agrippa fort pour l'entraîner loin du rivage. Il se crut foutu. Il mourrait écrasé contre un rocher, fauché par un monstre marin ou par un mauvais esprit. Non, c'était absurde. Cela n'arriverait pas. Il continuerait à dériver tranquillement jusqu'à ce que les vagues le rejettent sur une plage plus hospitalière.

Un morceau de tissu (mouchoir, chemise) lui frôla la main et il songea au Tunisien. Il l'avait vu braver les flots pour gagner le large, et puis, plus rien. Le fugitif n'avait pas réapparu. «Imbéciles!» fulmina Biram pour couper court à toute présomption. De toute façon, il était sûr qu'ils se feraient pincer. D'abord, parce qu'il le sentait. Ensuite, parce qu'il s'était toujours méfié des plans d'évasion fumeux de l'Algérien. Un musulman qui lance les dés et boit la bière est forcément un loser.

L'eau était plus souple à cet endroit-là de la Méditerranée. Biram reprit espoir et tenta un lent crawl en direction du rivage. *Ouh, ouh, ouh, ouh.* Il soufflait chaque fois que son bras droit durcissait pour remorquer son corps. *Ouh, ouh.* Cette expiration était son unique boussole, la preuve qu'il n'était pas en train de délirer. La terre était bien là.

Il retira ses vêtements pour les suspendre aux branches d'un arbuste. Puis dégagea d'un pochon plastique, épinglé solidement à son caleçon, une dizaine de billets flapis qu'il lissa et compta plusieurs fois : l'argent de la traversée. Car il n'y était toujours pas, dans la grosse Europe. Il se trouvait encore trop près de l'Afrique. À deux cents kilomètres seulement des côtes tunisiennes. Il rangea ses billets : « J'vais rappeler Charon et on va causer d'homme à homme. Pas question de lui verser un acompte cette fois-ci. Je paye seulement si je pars. »

Par la pensée, il passa donc de l'autre côté, dans les rues déshydratées d'Agrigente, trop chaudes pour retenir quiconque. Il traversait la Sicile, Messine, et s'arrêtait à Naples, rue Firenze, au pied de l'immeuble où il avait vécu quelques semaines avec Hélène. Les clefs du studio étaient sans doute, étaient peut-être encore, dissimulées sous une marche. Il se souvenait d'une chambre où il fallait baisser la tête pour tenir debout, d'une cafetière qui sifflait et des rideaux qu'il fermait quand il se déshabillait.

Son linge sec, il parvint à contacter le trafiquant par téléphone puis passa la nuit dans le cimetière des bateaux. Là où les barcasses parties clandestinement d'Afrique pourrissaient, après avoir été interceptées en mer. Peu d'entre elles portaient encore un nom. Difficile d'imaginer que des hommes y avaient mis toutes leurs espérances.

L'île de Lampedusa était très différente de ce que Biram en avait perçu le jour de son arrivée, alors qu'un véhicule le conduisait au Centre de rétention. Il s'étonnait de lui trouver du charme. Pas le piquant de ces coins qu'on voyait sur MTV, toutes ces îles à palmiers, paillotes, sono et fritures *take away*, mais *quelque chose*. « C'est beau. » Il était embusqué sur le toit terrasse d'un hôtel à vendre, surveillant l'arrivée de Charon. En bas, dans une rue qui s'ouvrait sur le port, des vieux discutaient à l'entrée d'un bar fermé pendant que deux pubères fatiguaient leurs scooters dans un imbécile manège de va-et-vient. Partout, le gros des bâtisses étaient courtes et en couleurs. Rien de clinquant. Une cité de bord de mer où la vie semblait sûre et simple. Les gens d'ici se souciaient-ils de ce qui se passait au Centre? Avaient-ils les foies en voyant débarquer ce charroi d'étrangers? Comme cette fois à Tenerife où un Canarien, *métèque lui-même*, lui avait sorti : «Barre-toi, bâtard. Barrez-vous tous. Vous avez ruiné notre île. On ne veut plus de vous!»

Biram s'appuya sur les coudes pour dévisager un homme en jaune qui s'avançait en boitant dans sa direction. Il l'entendit saluer une dame et éructer jusqu'à ce que la rue tourne. Charon arriva aussitôt après, fagoté tel qu'il l'avait annoncé : bottes, pipe, ciré, casquette ainsi qu'une blague à tabac et un grand Jésus plaqué or autour du cou.

– C'était quoi le problème hier nuit? le testa tout de go Biram lorsqu'il eut quitté son perchoir et rejoint le passeur dans un hangar qui sentait le poisson. Il n'était pas impressionné par l'Italien. En voyageant, il avait appris au moins une chose : il n'y a pas de super salauds ou de gentils tout court. Homme c'est homme, la pureté n'existe pas. Dieu et Satan ne dorment jamais.

– Quelqu'un a parlé et tout le monde l'a su, répliqua placidement le passeur. J'avais pourtant dit à ton copain de tenir sa langue. Ces choses-là, ça ne regarde personne. En tout cas, moi, j'étais là.

– Toi, tu étais là? Mais alors pourquoi ils ne t'ont pas coffré comme les autres?

— Je ne suis qu'un pêcheur. Je suis indépendant. Je n'appartiens à aucune corporation.

Biram ricana. Au Sénégal, les Charon qu'il connaissait étaient tous des pêcheurs. Ils écopaient de deux à trois ans de prison lorsqu'on les attrapait, mais reprenaient leur double activité aussitôt libérés. Charon prétendait être indépendant, *indépendant de qui, de quoi ?* Dans le milieu, tout le monde traitait avec tout le monde. Les trafiquants travaillaient en réseau. Il y avait toujours un plus gros que soi à graisser et en bas, en bout de chaîne, le plus petit de tous, celui qui payait pour tous : l'aventurier.

— Je veux des garanties, fit Biram, en affectant d'être convaincu par ce qu'il disait.

Dans la relation qui unissait le passeur à son client, aucune garantie n'existait. *À la mort ou à la vie !* C'était ce que chaque passager qui payait son ticket préférait gober. Comme si cette seule formule suffisait à conjurer les filouteries et la poisse.

Charon ne se cabra pas. Il semblait réfléchir.

— La Méditerranée, c'est chez moi, alors je n'ai de comptes à rendre à personne. Je connais tous ceux qui vivent là et tous ces gens-là me respectent. T'es pas le premier gamin qui veut traverser. Depuis toujours, ça passe et ça défile. C'est pas pour rien qu'on l'appelle la mer du milieu. Mais moi, avec mon bateau, je n'ai pas de problème. Je fais ce qui me plaît et je peux aller partout du moment que j'ai ça.

Il inclina son couvre-chef pour se tapoter le crâne.

— Parce que tu comprends, la mer, c'est pas pour n'importe qui. Il faut avoir toute ta tête quand tu la prends.

— C'est quoi le bateau ?

— Un hors-bord.

— Et le moteur ?

— Une fusée.

— Tu as un GPS et des gilets de sauvetage ?

Le capitaine acquiesça.

— On est combien à voyager ?

— Ça, c'est mon affaire, mais si tu es toujours partant, mon bateau quitte ce soir à vingt et une heures. Je ne fais pas de cas par cas, moi. C'est pareil pour tout le monde : pas de négociation, pas de privilège. Si tu viens, faut payer maintenant.

Plusieurs minutes s'écoulèrent avant que Biram ne sorte de sa poche sa liasse de billets. C'était pratiquement tout ce qui lui restait du pécule amassé au cours des deux dernières années passées chez les Maures, ce que ses petits métiers de soudeur, balayeur, pompiste, cuisinier, maçon, charpentier, vendeur de savons ou de cosmétiques pour femmes, lui avaient rapporté. Qu'il avait fourré dans son slip de crainte d'être fouillé et racketté. Il examina la liasse et se demanda combien d'argent cela représentait actuellement au Sénégal, combien de billets il faudrait encore ajouter pour gagner une parcelle, une maison avec balcon et chambres à coucher.

Le visage de sa mère lui apparut tout à coup et il eut honte. Il n'était pas retourné la chercher ainsi qu'il s'était promis de le faire. Il l'avait laissée là-bas, dans cette masure aux vapeurs empestantes où l'on cloîtrait les folles et les sorcières.

De ses mains massives et cornées, à purger un veau, contenter une femme et abattre une tempête, Charon glissa la fortune de Biram dans sa blague à tabac touareg. Emboucha sa pipe et tira longuement dessus.

– Tu vois le poil d'un chat? (Charon parlait de la Méditerranée.) Eh bien, c'est la même chose. En ce moment, elle est toute soyeuse.

– Tant qu'on ne l'a pas enjambée, on n'est pas arrivés, rétorqua Biram avec un sourire triste.

Il ne se rappelait plus le goût de la mer de Mbour. Il avait oublié ses bonheurs de gosse : faire la roue, l'étoile, des châteaux de sable, plonger d'un rocher, pas énorme énorme mais haut quand même puisque après chaque saut arrière, avant, renversé ou retourné réussi, on prenait la grosse tête. On était le roi du monde. Avec l'expérience, Biram avait appris qu'il n'existe pas de mer

tendre et bienveillante. Ce n'était d'ailleurs plus la
mer qu'il voyait lorsqu'il l'affrontait. Il discernait
quelque chose de vertical, de dur et d'infranchis-
sable. Un mur qui grimpait au ciel.

Le trafiquant ralluma sa pipe :

— Tu sais nager ?

— Je me débrouille.

Puis ils se turent et Biram sentit la faim le remplir. Il rêvait d'un morceau de baguette et d'un bol
de chocolat au lait concentré. S'installer à la terrasse d'un café, une nouvelle paire de tennis aux
pieds et nulle autre perspective que celle d'un bon
souper et d'une bonne literie. Il lorgna vers la porte
du hangar. Qu'allait-il bien pouvoir bricoler avant
le départ ? Il n'avait aucun compagnon à saluer,
aucune affaire d'argent ou de marabout à régler.
Il n'avait pas de programme et accepta l'invitation
à déjeuner de Charon. L'homme possédait une
piaule, au-dessus du hangar.

Sans ôter son ciré, le passeur tira une soupe et
une viande d'un placard qu'il réchauffa. Il n'avait
pas du tout la même tête lorsqu'il mastiquait. Il lui
venait des grimaces et des clins d'œil.

— T'es arrivé quand au Centre ? demanda-t-il au
jeune homme, la bouche pleine de pain rassis et de
minestrone.

— Ça fait trente-cinq jours, si je compte la journée d'hier. Mais normalement, on ne devait pas

durer. Ils devaient nous transférer dans un autre Centre en Italie. C'est ce qu'on voulait et puis finalement, ils ont dit qu'il fallait qu'on reparte chez nous.

— Bah, ils changent d'avis tout le temps, ajouta le capitaine. Et avant, t'étais où ?

Biram engloutit d'un trait sa soupe et essuya le fond de son assiette avec du pain. Cette conversation ne valait rien. Il aurait préféré manger le cœur léger, sans le poids de la condescendance de l'autre, sans s'encombrer d'une politesse inutile. Baissant la tête, il ne se préoccupa plus que de couper sa viande. Et de bouffer. Il ne remarqua pas les pétillements du soleil derrière les volets et l'odeur de sapin des torchons de table. Il n'était déjà plus là sans doute, rêvant à demain, ou bien reparti dans ce mouroir pour pirogues venues voir l'Europe. Alors, le vertige le saisit et il jeta un regard furieux au passeur.

— Tu sais ce que c'est que les montagnes russes ? s'exclama-t-il en écrasant avec son pouce une mite qui courait sur la table. Tu as déjà essayé ? C'est quand tu es en plein milieu de l'Atlantique et que tu te mets à bouger tout seul. Si tu as de la veine, tu vomis tes tripes et tu fais sur toi.

— Qu'est-ce que tu veux que je te dise ? répondit mollement l'homme qui s'était levé pour préparer les cafés.

– Ça, bien sûr, poursuivit Biram tout tendu, c'est si tu pars de Nouadhibou. Tu peux aussi faire par le Sahara, mais là, mon vieux, faut avoir beaucoup d'argent. Je connais des gars qui ont essayé et ils ont perdu tout leur or entre Tarfaya et Dakhla. J'en connais aussi qui ont voulu passer par Melilla, au temps où tu pouvais encore passer. Maintenant, c'est mort, ils ont mis des doubles grillages. Si tu t'approches, ils te tirent dessus avec du caoutchouc ou ils lâchent leurs chiens. En tout cas, si on t'attrape, tu peux dire bye-bye l'Europe, on te met dans un camion et on te jette dans le désert algérien. De là, un autre camion te récupère et t'emmène à Tinzawaten au Mali. Et là, fini le ping-pong ! Tu te débrouilles pour rentrer chez toi. Franchement, tu devrais aller faire un tour à Tinzawaten, parce qu'il y a plein de gens comme toi, là-bas, qui proposent leurs services. Merde, s'écria-t-il enfin en tapant sur la table avec son poing. On est pas des chiens quand même. On devrait pouvoir vivre là où on veut vivre. Ou alors, ou alors que chacun reste dans son pays !

La bouilloire couina et le pêcheur se baissa pour éteindre le réchaud.

– J'ai des courses à faire avant le départ, mais t'es pas obligé de filer. Tu peux rester ici jusqu'à ce soir.

Biram desserra lentement les poings et se frotta désespérément le visage. Il avait tout dit et plus la force de réfléchir. De comprendre pour quelle raison un trafiquant aussi charognard que lui, Charon, se montrait soudain si généreux, défiant la vigilance des carabiniers, des garde-côtes et des hélicoptères qui patrouillaient quelquefois le ciel de Lampedusa.

«Lepp djam, lepp djam. Tout va bien.» Il matait l'angoisse qui lui tordait le ventre. Tout irait bien. Après la traversée, *Welcome to Sicile!* Il y avait du boulot là-bas, et il connaissait du monde. Des gars recrutaient des gars pour travailler dans les champs.

Le hors-bord partit à l'heure et les choses se déroulèrent comme l'avait prévu Charon. Aucun courant traître, aucune tempête, une mer aussi lisse et innocente qu'un chaton. Impossible d'apercevoir ou de se figurer ces milliers d'aventuriers qu'elle avait avalés. Quatre passagers embarquèrent à Pantelleria. Et ils furent douze, en tout, à s'engager dans la nuit gorgée de noir et du murmure affaibli des terres qu'ils laissaient derrière eux. Biram était le seul à ne pas avoir de sac comme s'il n'était là que pour prendre l'air, et qu'il pouvait à tout moment descendre. Une main dans la poche de son jean, pour paraître tranquille, il observait les voyageurs. L'adolescent, l'infirme, le peureux, la pipelette, les cinq aux longues jambes plus des jumelles aux chaussures smart, sans rapport avec la modeste robe qu'elles portaient, incommodes puisqu'elles finiraient par les oublier sur leurs cuisses ou n'importe où dans la barque.

De Charon, Biram n'identifiait plus que le ciré et la voix lorsqu'elle soufflait les consignes. *Zitto*, pour exiger le silence. *Sacchetto*, si quelqu'un souffrait du mal de mer. Le passeur n'avait plus de visage : un gros cube dans ce ciré qui se confondait avec la matière de la nuit. Maintenant, ils étaient au milieu. À la moitié du voyage, là où la nostalgie du pays quitté pèse autant que la décision d'en partir. Les sœurs avaient couvert leur tête. Des hommes tortillaient leur chapelet. On entendait l'infirme mâcher ses arachides achetées sur la route, vendues à un prix inimaginable pour ce que c'était. Le peureux décréta qu'il remonterait vers le Nord visiter un parent, si Dieu veut. Le bavard jura qu'il ne ferait pas plus de trois ans en Italie parce que *là où tu nais, c'est ton cercueil.* Il s'étendit, mais le *Zitto* de Charon lui scella sa grande bouche.

L'air s'était rafraîchi, Biram avait changé de position, tête en arrière, le regard vers le ciel complètement bouché. Pas une seule étoile. Pas de lune, hormis ce trait de lumière faiblard suspendu en l'air semblablement à un néon d'une poignée de volts.

Le ciel parut s'ouvrir. C'était le jour qui piquait. «Après le rideau, on y est», dit Charon. Un peu de salive apparaissait au coin de sa bouche, ses yeux avaient rétréci mais ses gestes restaient vifs. Le hors-bord glissa vers le continent, passa prudemment le rideau de brume, tandis qu'accroupis, raides ou courbés, les passagers redoublaient d'ardeur à prier leur seigneur. « Qu'Il nous conduise sur le droit chemin. » Biram scrutait encore le ciel. Comment Allah allait-il les tirer de là avec une brume pareille ?

Il le fit toutefois. Il fut miséricordieux et le bateau accosta sur une côte sauvage du continent. « C'est notre chance », ahanèrent les femmes en avisant la crique de débarquement vide, abritée par des rochers. Tous approuvèrent et aussitôt se mirent en route avec leurs bas de vêtements retroussés, leurs bagages sur le dos et leurs souliers trempés, avec leurs faces hébétées et cette excitation qui mouillait leurs tricots. Biram s'était arrêté pour les regarder marcher. Il avait gardé ses mains enfoncées dans ses poches, plus du tout par frime cette fois-ci, mais parce qu'il s'inquiétait. Derrière les rochers, la terre s'étalait, chauve et cuite. Il lui semblait être de retour à Lampedusa.

Le capitaine se rapprocha de Biram en craquant ses doigts :

— Voilà, c'est fait. C'est comme ça doit être. Tu sais au moins où tu mets les pieds ?

— T'inquiète.

— Tu fais confiance à personne, toi. Tu ne crois même pas au miracle?

— Je crois en ce que je vois. Si c'est l'argent qu'on me montre, alors vive l'argent. Je ne suis pas plus naïf que toi.

S'humectant les lèvres, Biram constata qu'elles étaient craquelées. La mer les avait tailladées, puis elle avait creusé son ventre et ses joues. Il cracha. Le goût du sel se répandait dans sa bouche.

— Un jour, fit Charon, y a un gamin qui est venu me trouver. Il venait de s'enfuir de la cage et il voulait que je le fasse passer. Il a insisté, et comme moi, j'ai dit non, il s'est débrouillé tout seul. Malgré qu'il savait pas nager, il a pris la mer, ce *cretino*! Ça fait jamais plaisir ces histoires-là. Alors, maintenant, je préfère réfléchir quand on me demande.

— L'Europe a dit qu'on était de la merde, et toi, ton rôle, c'est de transporter la merde. C'est tout. Y a pas à t'excuser.

— L'Europe, c'est pas ma mère. Je ne lui dois rien.

Sur ce, Charon ouvrit sa blague en peau. Il avait le visage fermé du passeur ordinaire. C'était seulement lorsqu'on le regardait au fond des yeux qu'on comprenait qu'il était froissé et en colère.

— C'est ta chance, fit-il en restituant à Biram son argent. Il retourna à son bateau qu'il nettoya rapidement, et leva l'ancre.

301

Faire l'aventure

Il était au large lorsqu'il leva verticalement son bras au-dessus de sa tête. Peut-être était-ce pour souhaiter à l'aventurier *bon vent*, ou bien pour se protéger des gouttes d'eau, car il s'était mis à pleuvoir.

D'abord, Biram chercha les champs, là où l'on cueille l'été la tomate et aborda le premier Noir qu'il croisa. Le Malien le présenta à un autre saisonnier qui le conduisit à un caporal arabe et marché conclu : les bennes à remplir, les douze heures à tirer, vingt euros par jour moins les frais pour avoir le droit de coucher sur du dur, de manger du chaud et de se vider ailleurs que dans une fosse. Une semaine après son embauche, il eut des ennuis avec le caporal à cause de deux ouvriers agricoles sénégalais qui se chamaillaient pour un morceau de viande. Le premier se plaignait que l'autre s'était enfilé la couenne et ne lui avait laissé que l'os. Le second alléguait que c'était de bonne guerre parce que le mois dernier, c'était lui, tout ancien qu'il était (il entamait sa sixième saison), qui avait été *le dindon de la farce*.

Ça commençait à chauffer, les collègues se seraient sévèrement crochetés si Biram ne s'en était pas mêlé. Il avait dit *Laissez tomber, les gars. Comportez-vous en hommes, les gars...* L'un ou l'autre, mais en wolof. Si bien que furieux de n'avoir rien saisi, l'Arabe s'était énervé et vlan! Il lui avait donné un coup de barre à la cuisse gauche et les cageots s'étaient cassé la figure. Sur le moment, Biram n'avait pas bronché, mais de retour dans le taudis où ils vivaient tous à la diable, minables et encaqués comme des maquereaux sans propreté, il avait explosé : *Y en a marre. L'esclavage, c'était hier.*

Dans le gros lot de ceux qui ne dormaient pas encore, beaucoup applaudirent. Tous se levèrent néanmoins aux aurores et montèrent dans le camion qui les débarquait tous les jours au champ.

« M'en fous, c'est leur problème. Moi, je me taille », marmotta Biram dès qu'il fut seul. Mais quelque chose le retenait, il hésitait à partir et s'inventait toutes sortes de prétextes pour traîner. Et s'il retournait tout simplement au lit? Les dernières nuits avaient été brèves, les cueillettes l'avaient usé. Il avait besoin d'un rab de sommeil qu'importe le lit, en l'occurrence : pas de lit, mais une natte pliée en trois pour soulager son dos.

« M'en fous. Je me taille. » Mais qu'avait-il donc, alors, à rester planté là?

Ce n'était pas une question d'argent. Vingt euros par jour, c'était de l'argent de poche, compte tenu de la somme qu'il possédait déjà. Ce n'était pas non plus par pleutrerie. Il avait assez de bravoure et de hargne pour quitter sur-le-champ la ville et marcher le monde.

C'était… Biram soupira et examina les quatre murs percés d'air du bauge, le plafond délabré et la citerne d'eau rance. C'était de se souvenir de son arrivée ici quelques jours plus tôt, de se rappeler cette chaleur qui l'avait submergé malgré toute cette crasse et la violence larvée des hommes qui l'avaient accueilli – car il fallait être loup ou hyène pour tenir bon. Après des années de débrouille et d'exil, il s'était senti un peu chez lui. Entre Sénégalais.

Avant que la mélancolie, la gratitude ou quoi que ce soit d'autre ne le paralysent, il ouvrit l'unique porte de l'habitation. Il était neuf heures et le soleil ne chômait pas. La rue, unique elle aussi, paraissait une brûlante bande d'argent sur le point de fondre ou de fumer. Il crut distinguer au loin un camion et, de ses jambes rapides de jeune homme, il s'élança à l'extérieur.

Champs, maison, champs, maison, champs, maison. C'est ce qu'il croisa sur son chemin jusqu'à ce que la campagne s'achève, qu'un ruban de bitume se dessine puis s'élargisse pour contenir les feux éblouissants et profus des voitures. La nuit tombait.

Dans une station-service où il trouva de quoi se sustenter, Biram consulta une carte. La ville de Palerme n'était plus qu'à quelques heures. Seulement, il lui fallait trouver un stop pour s'y rendre, un conducteur assez aimable pour l'emmener, d'un optimisme suffisamment rationnel pour considérer qu'un nègre, la nuit, n'était pas fatalement un voleur de poules ou un violeur de blanches, qu'un nègre au bord d'une route valait mieux qu'un lapin. Il ricana en se figurant la gueule aplatie, *gueule tapée* pour le coup, qu'il aurait si un automobiliste décidait de lui rouler dessus.

La galère immunise. Elle met la mort comme la vie à distance.

Elle avait confisqué l'enfance de Biram. Elle endommageait chaque jour sa mémoire. Quel jeune avait-il été? L'époque du gosse à la chemise bouffante lui paraissait parfois même irréelle, ce gamin qui tremblait d'émotion devant l'océan et devant les filles, ignorant, dans les deux cas, par quel bout les prendre. Biram avait pris de la corne. Son cœur s'était endurci, sa peau avait épaissi. Souvent, le sang ne giclait pas lorsqu'il se blessait, l'épiderme cicatrisait vite.

Il entra dans les toilettes pour se laver le visage. Puis se posta à la sortie de la station-service, le pouce tendu, les lèvres courbées en un sourire inoffensif. Cent vingt-quatre conducteurs l'ignorèrent. Vingt-six ralentirent pour le dévisager. Parmi les trois qui se risquèrent à s'arrêter, une femme se montra coopérative. Elle n'habitait pas tout à fait Palerme, mais consentit à l'y déposer.

Trois heures cinquante plus tard, Biram frappait à la porte de Sidi Diakité.

Il avait oublié le gabarit de taureau de cet ancien camarade de Tenerife et, tandis que ce dernier, dans un débordement de joie, lui collait un faux coup de poing crocheté, il pensa fugacement que c'était peut-être lui, Biram, qui avait rapetissé. Il ne se rappelait pas non plus son rire écrasant et physique. Épaules, thorax, jambes, tout Diakité brimbalait.

– *Dio buono*! émit enfin la masse en flanquant à Biram une dernière bourrade et en refermant la porte de l'appartement d'un coup de pied. L'autre jour, je disais aux copains : si jamais je le revois celui-là, je vous jure, il va neiger!

Il installa Biram dans un vaste salon haut de plafond, et sortit d'un frigo un tupperware de pistaches et une canette de limonade glacée.

– Non, non, non... Diop!? Toi, tu vis ici? reprit-il de sa voix retentissante en se tapant trois fois de suite la cuisse.

– C'est toi, l'Italien, fit Biram. Moi, je suis juste de passage.

– Mais toi, tu as déconné. Tu aurais dû attendre de gagner les papiers. Les Ibnou, Dégé, Dechoisy, c'est ce qu'ils ont fait. Et maintenant, ils travaillent en Espagne : agents de sécurité! Ils ont même réussi à se choper de bonnes femmes. Le mois dernier, Dechoisy a eu son premier fils avec une locale. Alxamdulilaay!

– Alxamdulilaay, répéta machinalement Biram tout en réfléchissant à ce qu'il allait raconter à Sidi. Par où commencer? Remonter jusqu'à cette nuit où il avait fui Little Africa pour se réfugier chez Hélène ? Il n'en avait pas la force. Peut-être était-ce aussi à cause de ce salon où il se trouvait. Cette pièce l'intimidait. Trop de meubles, trop de lumière pour y déverser ses pépins et ses mésaventures de guerre. Il valait mieux être *light*. Prendre une douche, un autre soda et attendre demain pour claquer ses jetons dans une chemise marrante et un jean *in*.

Il vida sa canette et déterra cette histoire qu'il s'était racontée tant de fois, gosse. Après Tenerife, il prétendait être allé chez les Anglais, Français, Allemands, Hollandais. La grosse Europe. La dolce vita. Tous les soirs, une discothèque différente, des billets de banque, un costume neuf, des filles en veux-tu en voilà. Sa maison, c'était la classe : waterbed, salle de muscu, jacuzzi. On l'avait appelé *sir*, il n'avait roulé que dans des voitures allemandes. Bien entendu, il avait aussi eu sa part d'emmerdements, « mais enfin, c'est la vie. C'est l'aventure ! »

– Nous aussi, en tout cas, on n'a pas à se plaindre, enchérit Diakité en tapotant sur l'écran de son téléphone portable. C'est peinard ici. On a recommencé le travail de la *calle*. On vend dans la rue, mais c'est carrément mieux organisé qu'en Espagne. Chacun est spécialiste d'un secteur. Ça permet de fidéliser la clientèle sans marcher sur les plates-bandes des autres.

L'enthousiasme de Sidi retomba aussi rapidement que ses yeux, rivés à son iPhone. Il finissait une partie de jeu électronique. Il venait de sauver la vie de trois hommes. Il lui restait encore un zombi à exterminer.

— Tu veux bosser ? questionna-t-il au bout d'un moment, après avoir dégommé le monstre.

— Faut voir.

Jusqu'à il y a un instant, Biram se serait empressé d'accepter. Mais quelque chose, pressentiment ou préjugé, l'engageait à la prudence. Il regarda autour de lui. Combien valait un logement pareil en location ? Comment Sidi avait-il pu s'offrir tous ces meubles et ce matériel hi-fi ?

— Y a qui avec toi ? demanda-t-il. Vous êtes combien à crécher dans ce château ?

Diakité ébaucha un sourire.

— Sept, huit, ça dépend. Mais c'est cool parce qu'on fait des roulements. Tu travailles, t'es pas là. T'as fini, tu rentres. Comme on est trois équipes et qu'on tourne, y a pas d'embouteillage dans l'appart, c'est *regular*. Pas le même merdier qu'avant.

— C'est combien ici pour des faux papiers ?

— C'est variable. En ce moment, c'est cher, trop cher, mais si t'as le temps et que tu arrives à bien vendre, tes papiers, tu peux te les payer à l'aise. On n'a pas à se plaindre ici. C'est peinard, c'est carrément mieux organisé qu'en Espagne. Chacun est spécialiste…

La porte d'entrée s'ouvrit et un petit au visage balafré s'introduisit dans le salon. Il s'appelait Karim et travaillait la nuit. Il n'ajouta rien d'autre, pas même un « Bienvenue » en apprenant l'arrivée de Biram dans l'équipe. Tournant les talons, il s'engouffra dans ce qui semblait être la cuisine, tandis que Diakité débouchait une bouteille de bière fraîche pour *fêter ça*.

Biram s'enfonça dans son siège. Les affaires reprenaient.

Après que Sidi lui eut expliqué le fonctionnement de la serrure, du magnétoscope, de la machine à café, du loyer, après qu'il lui eut remis de quoi se laver, s'essuyer et se changer, il s'isola dans la salle de bains et recompta son argent : quatre gros billets plus trois petits. C'était un début pour obtenir de vrais faux papiers d'identité. Il se dévêtit avec des gestes d'embarras car l'hospitalité de Sidi était conditionnelle. « Tu es mon *guest* jusqu'à dimanche, Biram Diop. » En termes plus clairs, Biram devrait dépocher pour dormir au Château.

Il ramassa le bout de papier qui venait de tomber de sa poche, un coin de feuille où s'alignaient des numéros de téléphone. Celui de Diakité fermait la liste. Un copain, rapatrié d'Espagne et croisé récemment à Nouakchott, le lui avait transmis. Ils s'étaient raconté leur épopée au Nord et avaient rigolé à l'évocation des uniformes jaune poussin, rayé zèbre ou gris éléphant que le gros Diakité enfilait jadis pour appâter les touristes de Las Americas et de Los Cristianos. Sidi Diakité avait été un vulgaire rabatteur, un *boy, quoi.*

L'eau du bain était chaude, la mousse aux extraits d'orange prenait bien et le corps de Biram s'engourdit aussitôt. Dans cet état presque comateux, il pensa aux quelques femmes qui lui avaient plu. Leur bouche, leur ventre, leurs cheveux. Il les vit s'allonger sur lui pour lui faire l'amour. Elles lui faisaient leur amour, elles le caressaient, elles le travaillaient. Il n'était plus grand-chose. Derrière la porte, une voix grommela qu'il n'était pas au sauna et qu'il devait se magner de sortir. Ce qu'il fit après avoir rincé la baignoire et transféré ses billets dans la poche du pantalon propre que Sidi lui avait prêté.

Sa nuit fut courte. Vers trois heures, le sol de sa chambre grinça et un inconnu vint s'abattre sur un lit situé en face du sien. Il fut rejoint, quelques minutes après, par le malbâti à la balafre, et les deux ronflèrent comme des verrats cependant que Biram élaborait son programme pour le lendemain : « Acheter un téléphone, des tee-shirts, des slips et des chaussettes. Faire le tour du quartier. Rester chez Sidi ou décamper. »

Les ronfleurs sommeillaient encore lorsque Biram se réveilla. Le soleil éclatait déjà. L'équipe du matin était sans doute au charbon. Il ne reconnut pas d'emblée la pièce où Sidi l'avait reçu. En plein jour, le salon avait la gueule d'un lieu de débauche. Aucune lampe n'avait été éteinte. Des meubles avaient été déplacés. Chemises sales, boîtes à pizza crevées, cendriers, bouteilles d'alcool vides jonchaient la moquette. Télé et chaîne hi-fi jouaient en sourdine.

Il entendit un bruit dans la cuisine et fut surpris d'y trouver une femme. Une jeune avec de lourds cheveux bleutés qui bougeaient tout seuls dès que ses mains savonnaient les bols, serpillaient le carrelage et ouvraient la fenêtre pour secouer énergiquement le linge de table. Elle se retourna vivement pour lui serrer la main « Jou m'appelle Lousse. Chouis la nettoyeuse », et, tout en causant, se remit à gazer. Elle venait du Pérou et, comme ses ancêtres fileurs de coton et rouleurs de pierre, elle avançait en un seul bloc, le corps sans taille, la tête coincée entre les deux épaules. Elle lui sourit et le projet de la bicher l'effleura. « Moi, je viens du Sénégal. Je suis célibataire. » Il n'avait pas touché une femme depuis longtemps.

Cela faisait maintenant trois semaines que Biram logeait au Château. Mais il ne travaillait toujours pas. Il regardait les trois équipes de modou-modou tourner. Il entendait leurs lits et le sol grincer. Tous les jours, il courait après Sidi, mais l'ex-rabatteur n'était jamais disponible. Un soir qu'il l'aperçut *super peinard* dans son salon, il en profita pour lui parler. « Faut que je bosse. »

Sidi Diakité recala sa paire de lunettes neuves à verre teinté sur son nez et contempla Biram. Pas le Biram d'Italie assis aujourd'hui devant lui auquel il avait spontanément offert un toit et fait miroiter un job, mais le Biram-Tenerife, celui que les gars, là-bas, avaient surnommé *Aspirine*. C'était l'usage, à Tenerife. Chacun avait droit à deux sobriquets : le bon, à employer devant la personne concernée,

et le méchant, à utiliser dans son dos. Sidi se souvenait d'un couillon à tête d'épingle qu'on appelait
La Flèche. Il traînait avec Coton-tige et La Cas-
sette, ce nigaud incapable de garder un secret. Il y
avait aussi Haut-parleur, un vrai fléau. Pas moyen
d'en placer une lorsqu'il se mettait à ouvrir la
bouche.

Quant à Biram, Sidi n'avait rien oublié de ce qui
se disait sur lui. Qu'il avait du cœur, mais un sang
qui tournait vite et qu'au lieu de prendre la vie
comme elle vient tout vrai, il en faisait un Rubik's
cube, tantôt rouge, verte, jaune. Jamais content,
Biram, toujours à chipoter et à chercher la petite
bête. Et puis il n'était pas franc. Il fallait constamment lui arracher les vers du nez pour obtenir une
réponse claire. Et encore. Comment être sûr qu'il
ne vous baladait pas ? Comme ce jour où il avait
prétendu être fiancé à une nana qu'il marierait
sitôt derrière lui l'aventure, dès qu'il rentrerait à
Dakar, la mallette pleine de lingots et de diplômes.
Il claironnait, Aspirine, qu'il voulait devenir un
étudiant. Comme si étudier c'était un métier, et
qu'on en avait quelque chose à cirer de Sonabou-
tansi, Senghor et de Vent de Gogue.

— Je peux tout faire, insista Biram.

— OK. Alxamdulilaay, conclut Sidi avec un
enjouement de circonstance. Je te mets dans les sacs
pour commencer et puis on voit ce que ça donne.

Ce n'était pas le cadre de travail idéal. Cette calle-là était aride. Aucune miséricorde, aucune camaraderie. Midi sonnait à la porte de personne, mais tous se précipitaient pour ouvrir. Biram n'avait jamais ressenti une telle tension et une telle absence de solidarité entre les vendeurs ambulants. Sur le marché où son équipe et lui s'étaient établis, on repérait tout de suite les forts, et puis les faibles. Les premiers hurlaient. Le regard des autres était complètement éteint. Non, ce n'était pas gagné. Il vendit très peu et dut baragouiner l'italien pendant des heures pour réussir à écouler deux portefeuilles. Le reste de l'équipe ne fit guère mieux. Vers vingt heures, tous remballèrent leur marchandise et se payèrent des glaces.

— C'était mort aujourd'hui, fit Biram en pourléchant ses doigts poisseux de crème.

Aucun des trois coéquipiers ne broncha.

— C'est toujours comme ça ?

Le plus jeune et le moins chafouin du trio haussa les épaules.

— On va aller se faire la plage blanche un de ces quatre. Ça vend pas mal par là-bas. Sûr en tout cas qu'il fera plus frais qu'ici.

Il avait fait une chaleur de four toute la journée, à en oublier que la terre s'arrêtait quelque part et que les mers les plus claires ne se trouvaient qu'à quelques kilomètres de la grande ville. D'après ce que Biram avait pu constater, en consultant la carte de la région, il y avait de nombreuses plages dans le coin. Ce qui signifiait une platrée de terrasses, d'affaires à faire, de vacanciers.

Les lumières des rues brasillaient, les gars embouchaient leur deuxième cornet et Biram s'étonnait de leur nonchalance. Ils ne se billaient pas, comme si quatre grands nègres sans papier, assis sur un banc à téter leur lait glacé, n'avaient aucune bonne raison d'avoir peur, aucun flic à redouter. Alors il repensa aux trois journées de labeur qu'il venait d'accomplir. À aucun moment, il n'avait vu les triplets s'affoler, y compris lorsque des policiers en civil avaient fait irruption sur le marché afin de procéder à des contrôles d'identité. Ils n'avaient pas branlé d'un poil, debout derrière leurs sacs machin chose et leur portefeuille façon, pas si nonchalants que cela, dans le fond, mais intouchables. Comme s'ils bénéficiaient d'une protection, d'une certaine impunité.

C'était peut-être un grand mot, «impunité», mais qui sonnait juste et triste à l'oreille de Biram. En toute impunité, des êtres humains embauchaient d'autres êtres humains pour travailler dans des champs de tomates brûlants ou des mers en plastique. En toute impunité, la police cueillait les trimeurs pour les conduire chez des préfets qui les expulsaient. En toute impunité : Charon. Les cages. Les cadavres d'aventuriers anonymes et incomptables pendant que Wade serinait : *Ensemble, continuons à bâtir le Sénégal! L'avenir de demain, c'est la jeunesse!*

Il déglutit. Cette seconde glace à la vanille le dégoûtait. Elle avait l'odeur du soda que les Blancs des villes offrent aux petites filles des quartiers pauvres avant de se les taper. Elle avait la couleur du Baileys que picolaient les Ritals de passage de Diakité, tout en causant d'un business qui ne regardait qu'eux, puisqu'ils veillaient toujours, ces *guest stars*, à fermer la porte du salon. Ils l'auraient laissée ouverte, c'était pareil. Aucun des modou-modou ne se serait risqué à entrer.

Biram écrasa du pied son cornet. Cette glace avait un goût d'impunité.

Il se dirigea vers une fontaine ornée d'une Vierge en pierre qui le scrutait avec des yeux d'ahurie. *Il n'y a que l'église et la mafia ici.* Puis il s'agenouilla pour se rincer les mains, la bouche et la figure.

— Tu fais tes ablutions? se moqua un collègue Diola. Tu dis que tu es musulman mais on ne te voit jamais prier.

Biram s'essuya les mains sur les jambes de son jean et revint tranquillement s'asseoir.

— Vous, les musulmans, s'acharna l'homme, vous aimez nous embrouiller. Moi, je suis catholique. Mon papa et ma maman, c'est comme ça qu'ils m'ont éduqué. Y a pas un dimanche où je ne mets pas les pieds à l'église. Dès que je peux, j'ouvre ma bible. La foi, c'est comme le vrai amour. Si tu ne pratiques pas, tu ne peux pas faire des enfants. Ou alors ça veut dire que tu t'amuses. Que tu couches avec Dieu.

Un sentiment d'orgueil traversa Biram, qui lui fit lever le poing en direction du Diola. Et puis l'inverse le prit : l'humilité, lorsqu'il se souvint qu'il n'était qu'un être humain. Seul Dieu, Lui et personne d'autre, était en mesure de savoir qui était qui. *Il est savant et puissant.* Rien ne Le séparait de ce cœur hardi ou désespéré, sec ou bon, arrogant ou timide, noble ou corrompu d'un homme. *Il voit tout.* Il voyait ce que recélait chaque cœur de ses serviteurs. *Rien entre Lui et nous.* Pas même une pellicule de Deglet Nour, ces fruits de lumière dont l'Arabe de Lampedusa avait garanti un jour à Biram : «C'est les plus sucrées du monde. Quand tu les manges sur l'arbre, c'est comme du miel. Elles sont transparentes, tu peux voir à travers. Et je ne dis pas ça parce que je suis un Algérien.»

«On verra bien.» Biram rangea son poing dans sa poche. Ramassant son ballot de camelote, il s'éloigna à grands pas de la place puis s'engagea vers le quartier de Sidi, le cœur navré. Le Diola n'avait pas tort. La foi n'était pas automatique, elle se méritait. Après Mbour, au début de l'aventure, Biram avait juré qu'il se remettrait à prier *après*. Après le désert, la mer, après le voyage, dès qu'il aurait une terre ferme sous ses pieds et un toit sûr au-dessus de sa tête. Ce n'était pas péché. L'islam prévoyait des exemptions temporaires en cas de situations exceptionnelles. Grâce à Dieu, il avait *bien voyagé*, avait habité mille lieux, mais s'était comporté en mécréant. Il n'avait pas fait ramadan depuis une éternité et il était incapable de se rappeler sa dernière aumône.

« C'est que la vie a changé. » Au temps du prophète, les hommes ne s'absentaient pas de chez eux aussi longtemps et aussi loin. Ils ne se transformaient pas en peluches ou en cadavres, ils mouraient de leur belle mort, ils mariaient des femmes vénérables et intactes, ils ne mangeaient pas de kebab, ils ne buvaient pas de whisky et ils avaient beaucoup d'enfants.

Il aurait aimé courir à toute vitesse ou s'arrêter net. Au lieu de quoi, il continuait d'avancer d'un pas raide et docile, se demandant, avec un mélange de fascination et de frayeur, s'il n'était pas sur le point de se transformer, à son tour, en zombi. *J'ai puni ceux qui n'ont point cru et quel terrible châtiment.* Allait-Il le punir ?

Rien n'arriva chez Sidi ce soir-là. Tout fut *regular*, de même que les autres jours, les autres nuits qui suivirent. Sept sur sept, du lundi au lundi, des modou-modou se levaient, d'autres se couchaient. Et ainsi de suite, comme à l'usine.

Août surgit, l'argent tombait piane-piane et Biram s'ennuyait ferme à faire les marchés. Il n'avait qu'une préoccupation en tête, ses papiers, et, ce matin-là, sur la route embouteillée qui menait à la plage blanche, se la cassait, sa tête, à réfléchir à la nouvelle proposition de Sidi. Les Italiens avaient besoin d'un transporteur débrouillard et discret. Ils paieraient bien et le bon Diakité avait immédiatement pensé à lui. C'était la version officielle. En vérité, c'était d'un toquard, un complet toquard avec une expérience, un statut et un avenir de toquard, dont les mafieux avaient besoin. Ils cherchaient tout simplement quelqu'un pour nettoyer et fileter leur «poisson sale» et s'étaient rappelé ce garçon aux cils de femme et à la dégaine de gosse, probablement cousin ou demi-frère de

Sidi (la famille africaine est élastique), croisé dans le salon, sorti d'on ne sait où et qui, visiblement, n'allait nulle part. Deux mois après son arrivée à Palerme, Biram était encore là. Tous les jours, il était là à porter son ballot de pacotille sur le dos, et, sur les fesses, le jean de Sidi, un peu large pour ses hanches.

Ce n'était pas d'être considéré comme un toquard qui troublait le Sénégalais. Il y avait belle lurette qu'il avait renoncé à se prendre pour un héros. Ne réclamant rien, il préférait *voir venir*, et dans le maigre champ d'action que les autres lui laissaient, dans cet interstice qui n'était pas leur charité mais le hasard, il faisait de son mieux, c'est-à-dire : en fonction de ses dispositions. Ce qui le tracassait véritablement, c'était d'avoir à dire « oui » ou « non ».

— Et les Italiens, t'as déjà travaillé pour eux ? demanda-t-il à un collègue tandis que le bus à allure d'escargot rasait la côte.

Le camelot décolla son dos râblé du siège et, dans une grimace de faraud, balança son tronc et sa tronche vers l'avant. Sa voix n'était plus qu'une halenée. Biram devait tendre l'oreille pour le comprendre.

— Ici, c'est forcé, tout le monde travaille avec eux, moi, toi, les gars, tout le monde. Sans leur chef, Il Leone, ajouta-t-il un ton au-dessous, ta chance, elle vaut rien parce que lui et les *carramba*, les flics, c'est comme mari et femme.

La grimpée du soleil dans le ciel l'aveugla. Il extrait d'un sac à dos coupé en triangle une casquette qu'il cala sur sa tête avant de raconter les aventures d'Il Leone, d'Il Leone braque une banque, un casino, une bijouterie, etc. La plage était en vue lorsque le camelot se tut. On aurait dit le désert parce que son sable était poudreux et qu'on devait marcher longtemps pour atteindre l'eau. Deux heures plus tard, elle ressemblait à une station balnéaire que les dix compagnons, répartis en brigades, arpentaient comme des diables pour débiter leur marchandise et leurs boniments. Les deux allaient de pair. Il leur fallait baratiner les touristes pour camoufler les mesquineries d'un cuir, la fermeture à glissière paresseuse d'un sac, les parties d'un tee-shirt ou d'une casquette assemblées grosso modo.

Ils attendirent que la plage blanche commence à se vider pour remballer les quelques articles qui leur restaient. Certains reprirent le bus pour Palerme. D'autres, ceux qui avaient tout vendu, décidèrent de se baigner.

Ils n'étaient que trois ou quatre, ceux-là. Et dans la bande, il y avait Biram, plus détendu que tantôt. Le souvenir de la plage de Mbour se représentait à son esprit, sans découragement, sans grisaille. Il songeait avec plaisir au temps où il piquait son cent mètres, montait haut le genou et entrait dans l'eau *plouf*! La tête la première, qu'importe la tasse. Tenir au moins quatre minutes avant de refaire surface.

Il fit un tas de ses vêtements et, sans attendre ses collègues, se dirigea vers la mer pastel comme un cocktail d'hôtel. *À boire à la paille, avec des glaçons et du citron vert.* Il accéléra et se jeta dedans. Mais l'eau était trop molle pour tenter quoi que ce soit d'aventureux. De retour sur le rivage, il se borna à fermer les yeux jusqu'à ce que tout devînt rouge derrière ses paupières, que le soleil l'arrosât. Il avait aimé cette magie-là. Il avait été un gamin simple sans grande volonté ou plaisirs raffinés. Levant le regard, il s'inquiéta de ne plus distinguer la ligne d'horizon. À quelques tours d'aiguille de la nuit, le ciel et la terre semblaient de la même pâte. Ils s'étaient tassés l'un contre l'autre, et l'un comme l'autre hésitait entre le gris et le bleu. C'était encore l'été, mais il y avait, dans l'air, ou dans l'eau, quelque chose d'empoignant et d'inévitable, peut-être une pluie qui venait.

«Biram à la flotte! Biram à la flotte!» entendit-il clapoter cependant qu'il renfilait ses habits sauf sa chemise. Les camarades patouillaient au large, au milieu des flots. Il distinguait leur crâne pas plus gros qu'un calot, leur bras de laptots faits à la besogne qui s'ébranlaient sans grâce vers lui. Le refrain reprit puis ils le traitèrent de fillette parce qu'il n'y avait qu'une gamine pour rester hors de l'eau. Il leur fit un doigt d'honneur, laça ses Converse et remonta lentement vers les terres en quête d'un plat correct et d'un soda frais. Il n'était pas pressé de rentrer chez Sidi, de se coltiner son bavardage et sa bourrade lorsqu'il lui annoncerait la nouvelle : il avait décidé d'accepter l'offre des Italiens. Ce n'était pas une réponse réfléchie. Biram avait finalement senti qu'il fallait dire *oui*. Une sensation, comme à l'instant, la faim.

C'était soir de fête, au village. La rue fleurait la grillade, des jeunes brûlaient des pétards et des automobiles tournaient à la recherche d'une place. Dans un square endimanché où Biram se repaissait d'un sandwich ricotta-rate, on avait même engagé un artificier. Vers minuit, le ciel allait péter. Des enfants éblouis crieraient *waouh!*, à cabadou sur le dos de leurs vieux.

Modou-modou ne meurt jamais. Biram venait d'identifier la silhouette de nain de Balafre. Posté à l'entrée du square, le camelot installait ses bricoles : paréos chinois, casquettes lumineuses, bonnets rastas avec dreads synthétiques intégrées ainsi que toute une série de gadgets qui clignotent quand on leur met une pile, sifflent quand on les remonte, roulent grâce à la télécommande.

— Le mois passé, marmonna Balafre lorsque
Biram l'eut rejoint, j'ai offert la même à mon fils.

— Ah ouais, fit Biram en jetant un œil sur la
boule en plastique remplie de paillettes, d'eau et
de miniatures de ruines que le balafré lui désignait
du doigt.

— Ouais, répondit l'autre en contractant les
muscles de son visage.

Karim appartenait à la sous-espèce humaine des
connards paranoïaques ténébreux. Ceux que les
malentendus et les disputes fortifient, qui ne déco-
lèrent qu'après avoir humilié et anéanti l'autre. À
l'affût du moindre conflit, il prenait tout de travers, vous regardait de travers, malgré ses cicatrices
et sa taille d'homoncule.

Biram ne s'y frotta pas :

— Faut que j'aille pisser.

Il sortit subito du square, s'enfonça dans le
bourg et aborda une place pavée de forme octo-
gonale où une dizaine de couples dînaient en
terrasse. Un vendeur de roses et un guitariste en
costard circulaient entre les tables. Une ronde prenait les commandes, aux seins si copieux qu'ils lui
permettaient de porter tout à la fois : sel, poivre,
addition, cendrier. Il n'y avait pas grand-chose à
regarder en résumé et l'Africain s'en serait allé s'il
n'avait pas repéré une fille. En fait, c'est surtout
son dos qu'il remarqua, son dos nu encombré de

tresses qu'elle tripotait et s'enroulait autour du doigt. L'autre main était fixe, posée pareillement à de la vaisselle sur la table. Les ongles étaient rouge carmin comme ceux des pieds.

À ses jambes aussi cylindriques et sèches que des rondins de bois, il supposa tout de suite qu'elle était sénégalaise. *Pour savoir d'où vient une femme, vérifie ses mollets.* C'était son credo et ce qui l'autorisait à affirmer que la Japonaise avait des poteaux, l'Antillaise, des mollets de coq, l'Italienne des quilles de ballerine quand la nature avait harnaché les Sénégalaises d'une grossière paire de bûches.

Puis il entendit parler l'inconnue. Par-dessus les caquets des tables et le tapage du musicot, il reconnut l'accent pressé des Dakaroises. Elle venait de là-bas. Il en fut tout à fait certain lorsqu'elle délogea de son sac toute la smala : poudrier, gloss ainsi qu'un Chanel dont elle se bombarda le décolleté, le creux des coudes et l'intérieur des poignets comme si les flacons de parfum poussaient dans les arbres et que l'argent qu'ils coûtaient, l'argent de l'homme attablé près d'elle, valait poussière. D'ailleurs, il venait de demander l'addition, son Italien et, aussitôt son verre vidé, se leva pour se rendre aux toilettes. Il marchait vite, d'une pièce, sans dérouler les pieds. Il jetait des coups d'œil tendres et anxieux derrière lui pour savoir si elle le regardait. Mais elle, elle se pomponnait.

« Pauvre Diable ! » songea Biram en suivant d'un œil charitable la scène. La disgrâce physique de l'Européen le rendait sympathique. Il devait être aussi laid que preux et veiller sur sa reine africaine de beauté de tout son poids d'homme mûr. Sur sa gueule mal taillée résumable à un couple de billes bleues et de sourcils buissonneux, on lisait : *ne me quitte pas, only you, love me tender*, tout aussi nettement qu'on devinait les silences ou les réponses condescendantes de l'aimée. D'un autre côté, il ne fallait pas être une lumière pour se laisser empaumer et pirater par une créature pareille. Rien qu'à la voir sur pied – l'Africaine s'était levée de table pour enfiler sa veste : un boléro rose bougrement court et, par conséquent, parfaitement inutile – on sentait à qui on avait affaire.

Le vieux chéri ressortit des toilettes et, avec une bienveillance inflexible, lui fit signe de patienter. Il allait récupérer la voiture garée dans une rue voisine. « Je viens avec toi » ou « Attends-moi », déclara-t-elle en saisissant sa pochette en cuir garnie. Mais elle ne se mut que pour déboutonner sa veste et se rasseoir à la place du Blanc, face au banc d'où l'épiait Biram.

Alors, il se produisit ce qui n'arrive qu'au cinéma, où Biram lui-même, s'il n'avait pas été impliqué, aurait immédiatement flairé le bluff. La fille releva la tête et le garçon entrouvrit la bouche : «Marème?» Il doutait. Sauf sa mémoire, rien n'indiquait que cette femme en rouge fût la suite, près de quinze ans après, de la gamine dont il s'était toqué autrefois à Mbour, cette jeune fille aux quinquets en biais et aux savates en caoutchouc trop courtes au point qu'elles s'éclipsaient toujours du pied et chuintaient pshiiiiiif lorsqu'elle courait. Des *Pshiiiiif, pshiiiiif* plus persistants que les infatigables coups de rame des balayeuses cassées en deux pour ramasser et ranger ce que le vent déplaçait. D'autres souvenirs de la minette remontaient, les chichis d'une culotte et l'arrondi d'une fesse sous une jupe transparente si l'on sait regarder, l'odeur d'un savon antibactérien, le battement nerveux de ses cils la fois où il lui avait brouté la bouche. Pas le *patin du siècle*, mais enfin, il en avait fait des rêves d'homme. Tandis qu'il s'approchait de la table de la Sénégalaise, c'est donc cette combinaison de sentiments contradictoires qui l'envahissait : stupéfaction, incrédulité, curiosité, appréhension, exaltation, nostalgie.

– Marème?

La jeune femme fronça les sourcils et secoua hâtivement la tête. Visiblement, ce nom ne lui disait rien, pas plus que *Biram Diop* (le garçon avait décliné son identité) ou *Mbour*, où elle affirmait n'avoir jamais demeuré. Elle s'exprimait du bout des lèvres.

— Vraiment, on dirait la même personne!

L'étrangère soupira et sans desserrer les dents jeta un rapide regard en direction de la rue. Puis elle ramena son sac contre elle et le coinça sous son aisselle.

— Hey, du calme! *Defal Ndank*, je ne vais pas te casser les pattes, fit Biram avec une grimace d'exacerbation. J'ai juste dit que tu ressemblais à une copine que j'ai fréquentée à Mbour. Ça fait un bail que je l'ai pas vue, alors j'ai cru… Ben, je me suis planté.

Biram était confus. Vue de près, la femme n'était en vérité que le portrait craché d'elle-même : des yeux verts en toc, une haleine de vin blanc, une bouche plus découpée pour mordre que pour baiser. Un paquet de ressentiments, voilà ce qu'elle semblait chiquer du haut de ses escarpins roses inappropriés pour l'aventure humaine, conçus pour ne parcourir que des distances courtes (du restaurant à la Mercedes, du carrosse à la villa), avant de se perdre au fond d'un placard ou sous un lit à *baldamachin*.

Il se rappela ce *jour J* où, après avoir longé un trottoir du Point E, ou pour dire mieux : « effleuré », tant la terre ne le portait plus, il s'était présenté au domicile de la vraie Marème. Dans un flash-back, on a toujours tendance à embellir ou à maquiller les faits. Mais ma parole d'honneur qu'il n'y avait pas plus classe nègre dans tout Dakar que Biram, nul autre que lui, ce dimanche-là, pour oser porter avec une telle élégance un nœud papillon et un baggy rentré dans des santiags. Il avait été reçu dans le salon d'Oumou Fall. Il y avait attendu vainement Marème, une sucrerie à bulles entre les mains. C'était quelques mois avant d'apprendre les fiançailles de la Dakaroise avec son journaliste français.

À l'heure qu'il est, songea-t-il avec un fond d'âcreté, elle devait materner ses gamins eau de café, crémer ses gratins dans une cuisine aménagée et porter des jupes rectangulaires de secrétaire. Il n'était pas dit qu'elle s'amusât tous les jours. Il lui arrivait sans doute de regretter ses choix, mais le bonheur n'est pas l'affaire des cupides. Car quoi d'autre que l'argent avait pu l'enhardir à suivre l'étranger ? À s'y subordonner ?

Des images obscènes lui traversèrent l'esprit. Chaque fois qu'il pensait à Marème ou apercevait une négresse au bras d'un Blanc, Biram imaginait une chambre à coucher sordide où remuaient deux corps. Ce n'était pas l'amour que ces deux-là fai-saient, mais quelque chose qui ne quittait jamais leur tête : des fantasmes, des foutus fantasmes qui les corrompaient et les transformaient en auto-mates, agissant sans conscience, et sans amour, sur-tout. L'odeur du corps d'Hélène lui monta soudain au nez. «Oui, mais non. Parce que moi, moi au moins, j'ai jamais été dupe.»

— Je dois y aller, on m'attend, annonça sèchement la Noire au boléro en se cabrant sur ses talons. Elle n'était pas aussi résolue et charpentée qu'elle s'en donnait l'air. Elle haletait et, tout en progressant, gardait les yeux rivés au sol, comme si les quelques mètres qui l'éloignaient de la rue avaient été minés, saturés de bouse ou de ferraille. Elle atteignit le bord du trottoir, s'adossa au poteau d'un réverbère et, ne sachant quoi tenter pour se débarrasser de Biram, affecta de ne plus le voir. Mais il l'examinait, lui. Il s'y entêtait depuis qu'à la faveur de la lumière électrique le visage encadré de tresses lui apparaissait dans tous ses exacts détails, sans lentilles, fards, faux cils et fond de teint, avec ses expressions et ses tics naturels, cette façon particulière de battre des cils et de tordre la bouche.

— Marème, répéta Biram en lui saisissant la main. *Li lan la?*[1]

Qu'espérait-elle sauver? Si c'était sa peau, c'était déjà fichu, elle en avait plus, de peau, juste du Chanel et des centaines d'euros de cosmétiques. Si c'était pour préserver son couple, elle se gourait. Son vieux n'était pas un fossile, il finirait bien un

---

1. Qu'est-ce qui se passe? (wolof)

jour par se lasser d'elle et la troquer contre une beauté plus fraîche et moins éduquée, une broussarde originaire d'un hameau où l'on considère encore l'étranger comme une moitié de Dieu, qui ne chie pas, ne *lose* pas et ne ment jamais.

Un moteur gronda. La décapotable noire de l'Italien apparut et vint se garer près d'eux.

— J'ai bien cru que j'y passerais la nuit, grommela le Blanc en débarquant pesamment de son coupé. Deux voitures m'avaient pris en sandwich. J'ai dû réveiller toute la rue pour savoir à qui elles appartenaient.

Tout en parlant, il jeta un coup d'œil à Biram. Il devait se dire : «Tiens, un Noir.» Ou alors rien du tout. Il ne l'avait peut-être même pas remarqué.

— Je m'appelle Biram Diop, fit Biram. Elle et moi, on est presque de la même famille.

— Et moi, c'est Giovanni, répondit l'homme en passant instinctivement son bras autour de la taille de sa femme. Donc, vous êtes du Sénégal. Ce n'est pas la porte à côté, le Sénégal.

— Je fais des allers-retours, mais ma base, c'est Milan. Je monte des projets là-bas.

— Ah, les projets! laissa tomber Giovanni.

Il était d'une amabilité tout-terrain qui ne lui coûtait rien, et le mettait à l'abri des critiques. Il se sentait surtout fatigué. Le bourbon lui morcelait la tête et il avait manqué en venir aux mains avec le propriétaire de la Porsche. En somme, il désirait rentrer, mais Biram continuait de discuter.

— Et vous, vous habitez dans le coin ?

— On a une maison de vacances à trois kilomètres d'ici. Ça donne sur la mer, ça change de Rome.

Giovanni se tourna vers Doriane.

— Tout va bien, mon trésor ?

Elle tenta un sourire à peine plus large qu'une grimace et ses fossettes disparurent d'un coup. Elle ne parvenait plus à faire bonne figure et, par-dessus les épaules de Biram, fixait la rue d'où était venue la décapotable, ses lumières confuses de rue, sa frange de bâtisses fermées et bien mises datant d'au moins trois siècles. Elle ne serait jamais d'ici, malgré tout l'argent et la bonne volonté de Giovanni. Dans sa tête où couraient mille peurs, elle organisait sa disparition. Se cacher, c'est ce qu'elle souhaitait. Se planquer dans un patelin qui n'existait sur aucune carte, se terrer dans la mini-poche plaquée de sa veste, là où il n'y aurait plus personne pour la posséder ou la juger. L'Italien lui baisa le front et elle s'efforça de ne rien laisser paraître de sa gêne et de son dégoût, d'oublier qu'à quelques centimètres d'elle, à sa portée, il y avait, toujours, les épaules de sportif et les yeux de biche de Biram, qu'il y avait ce garçon qui lui ressemblait tant qu'il avait eu le culot d'affirmer « On est de la même famille ».

La rue s'effaça et, en un éclair, Doriane revit la plage jaune électrique de Mbour, ses pieds de gamine dans ses sandales à mille francs CFA et Biram gosse qui la coursait. Il la rattrapait toujours, il la plongeait dans l'eau et l'entraînait au large.

— Doriane, l'interpella son mari en pressant sa taille. Elle se reprit. Marème était morte, elle l'avait enterrée il y a des années. Depuis, elle portait des strings, des talons qui détraquaient le dos et du N° 5, pas pour l'abâtardir et le coupler à de l'encens, à la manière des patronnes de Dakar, mais pour en imprégner sa peau et même ses chairs, si elle avait pu le faire.

— Nase, mal dormi, à cause de ce vent sûrement, balbutia-t-elle, le regard vide.

— On va rentrer, lui murmura-t-il affectueusement à l'oreille. J'ai été content de vous connaître. Ma femme a une grande famille, mais ils sont pratiquement tous au pays. Je compte sur vous pour nous faire signe si jamais vous repassez dans la région.

Les hommes se serrèrent la main et Biram s'approcha de Marème pour l'embrasser. Une odeur de savon persistait sous le Chanel. La peau était glacée.

— T'inquiète, fit-il en wolof, je ne vais pas te créer de problèmes. Ça m'a fait plaisir de te revoir. Ciao et bonne chance !

Marème baissa la tête.

– Merci.

Elle rejoignit Giovanni, une partie seulement de Giovanni, puisque, derrière le volant trois branches en cuir du véhicule où il l'attendait, on ne distinguait plus qu'un buste en chemisette et un visage bancroche où luisaient deux agates claires. Difficile de savoir à quoi l'Italien pensait, s'il se réjouissait d'avoir rencontré un cousin, demi-frère, beau-frère de son épouse ou s'il était tout sauf couillon. Peut-être était-il le moins innocent des trois. Celui qui mène la danse, qui crie «Sautez!» et tout le monde saute, «Tournez!» et tout le monde toupine jusqu'à ce qu'il mette fin à ce cirque, d'un coup de sifflet à roulette ou d'un craquement de doigt.

«En tout cas, il a l'air d'y tenir fort à sa petite», reconnut Biram comme pour ne se fier qu'à ce qu'il avait vu : un couple mal assorti en vacances.

Puis il enfonça ses mains dans ses poches et, projetant ses lèvres en avant, hésita entre bouder et sourire. «Ouais, ouais, ouais…» Il songeait au dernier regard que lui avait lancé Marème avant d'embarquer dans le coupé. Il n'y avait plus une seule goutte de mépris dans sa fausse paire d'yeux verts, mais de la considération. Elle l'avait dévisagé en quelque sorte de tout son cœur. Il s'était senti quelqu'un, un homme qui avait sacrément mûri depuis ce dimanche seize heures où, tanké comme un vrai cow-boy de ghetto, il s'était invité dans la villa du Point E et en était ressorti sans voir Marème. Allez donc tenter de séduire une fille qui se marie demain !

Biram gonfla le torse et secoua ses dreadlocks. Ouais, il avait dû l'impressionner.

« Bande de *sacc'* ! » Il remâchait sa *bande de voleurs*, tandis que ses doigts tout patauds de sommeil perquisitionnaient la chambre à la recherche du pochon qu'il était certain d'avoir logé dans la poche zippée de sa veste. Il n'était pas sept heures, Balafre ronflait profondément. Il se retenait de ne pas rudoyer le gnome pour lui demander des comptes. Il s'accroupit et tira de dessous son lit deux valises pleines ainsi que le sac de sport contenant son linge sale. Mais les faits restaient les faits et il reprit sa litanie : on lui avait dérobé ses économies. Se dressant d'un bond, il passa rapidement un jean et s'engagea dans la cuisine où Luz savonnait les plinthes. On ne saisissait que sa croupe dans son pantalon en gros lin et, pile dans le sillon : les fourches mobiles de sa crinière bleue.

Il lui exposa son problème, mais il pouvait aller au diable. La Péruvienne se cantonna à lui désigner la porte fermée du salon.

Sidi s'y trouvait, vautré sur son canapé, entortillé dans un pyjama en soie. Une demi-heure après, le même *hallucinait*, tandis que Biram, droit sur sa chaise, entrait dans les détails : le format de la pochette en plastique où il avait rangé son argent, le montant exact de la somme, le nombre de billets.

— J'hallucine ! répéta Diakité en se grattant énergiquement l'intérieur des cuisses. On ne fait pas des cachotteries avec le fric. Ta pochette, c'est des trucs de blédard. Ici, il y a des banques ou des coffres pour ça. Si tu m'avais dit : « Sidi, j'ai un trésor », j'aurais pu prendre des dispositions.

— C'est pas le problème. Le problème c'est que cet argent-là, on me l'a volé chez toi.

— Qui te dit que c'est un vol ? Peut-être que tu l'as perdu. Peut-être que tu l'as fourré quelque part et tu ne t'en souviens plus. Ça arrive quand on a la cervelle à ras bord.

— Je sais ce que je fais. Quelqu'un m'a pris mon argent hier ou bien carrément cette nuit quand je dormais. C'est ici qu'on m'a volé. C'est ici que ça pue.

Biram dévisagea Diakité. Quel rapport, s'interrogeait-il, entre le jeune Sidi costumé en Jumbo et ce *cretino* multiplié par *cretino*, cette grande connasse pour dire crûment les choses, en pyjama de luxe tôt le matin ? À quels vices son compatriote était-il désormais chiche de s'adonner pour devenir un Américain ? Pas l'Américain d'Amérique que dépeint l'Atlas, mais un immigré africain à l'aise, suffisamment blindé pour débarquer au pays une fois l'an avec des présents pour tous et des devoirs immobiliers en tête, suffisamment typique pour être vite repéré. À Dakar, on les reconnaissait dès l'aéroport à leur toilette (pas d'extravagance, mais du goût et de la marque), à leur façon de se plaindre de la chaleur sans retrousser leurs manches de veste, d'afficher un air détaché dans les files d'attente, de garder leurs lunettes de soleil au nez lorsqu'on les abordait, de louer des 4×4 *direct*, de s'adresser en wolof pointu aux boys, qui, les voyant venir, se démanchaient pour leur vendre du crédit téléphone, leur quérir le meilleur taxi, récupérer sur le tapis de bagages à moitié roulant leurs Samsonite multigammes. Une semaine après leur arrivée, les voilà qui s'attelaient à la construction du palace pour la maman, une villa minimum quatre pièces, dont on dirait plus tard, avec bouffissure ou ombrage, que c'est le fils de madame Untel qui l'a payée. Chaque quartier, chaque ville du pays possédait son lot de baraques américaines. Certaines pointaient comme des mosquées, d'autres paraissaient des caveaux, des cliniques privées inachevées ou des salles d'eau en marbre.

Biram s'agrippa au dossier canné de la chaise pour se lever. Il sentait la colère l'abandonner. Il était simplement triste. « Qu'ont-ils fait de nous ? » Il compatissait avec ces régiments d'hommes qui s'étaient cassé les côtes en Europe. Il s'apitoyait sur le sort de tous ceux qui, comme lui, s'y consumaient. Il avait été un jeune Africain sans stigmates et, maintenant, un exilé bardé de balafres, qui palabrait dans le vide comme font les vieux dans les cours des cases.

— Si tu voles quelqu'un, c'est pour avoir ce qu'il a, pas vrai ? Mais imagine que ce que cette personne possède n'a rien à voir avec ce que tu voudrais pour toi-même. Imagine que c'est juste parce qu'on te fait croire à ça que tu veux ça. Ça s'appelle « manipulation ». On te vend un système qui marche pas. Tu tombes dans ce système et *boum*, c'est fini pour toi : tu mens, tu triches, tu joues au boss et tu finis par devenir l'empereur des clowns.

Biram sembla réfléchir à ce qu'il venait de dire. Il n'était pas le mieux indiqué pour faire la leçon aux autres. Son cœur n'était pas entièrement pur et ses mains n'avaient pas toujours été propres. Après son départ de Mbour, elles avaient même senti très mauvais ces mains dont il avait douté alors qu'elles fussent les siennes. Il se rappelait encore leur odeur, celle du cadavre d'un chien et d'une liasse de billets volés dans un container. Avait-il restitué à Libasse son argent? Jamais. En avait-il versé ne serait-ce qu'un cinquième aux pauvres? Pas davantage. Il avait mangé l'argent comme on ingère une bouchée de pain sans en laisser une miette aux copains ou en glisser un brin dans le coin d'une poche ainsi que sa mère le lui avait recommandé. Car il n'y a qu'une femme pour initier à la malice et enseigner un tel tour. Qu'on l'ait donc, des années plus tard, délesté de son trésor n'était qu'un juste retour de bâton, une manière, au bout du compte, d'empocher sa liberté, de n'être pas l'obligé de Dieu.

Il quitta le salon de Sidi sans un mot et avant d'empaqueter son linge s'offrit une courte douche au gel moussant à l'orange. Il n'était pas mécontent pour une fois de son reflet dans le miroir et, tandis qu'il séchait minutieusement chaque région de son corps, il lui venait à l'esprit ces chansons stupides que les hommes gazouillent lorsqu'ils se retrouvent nus devant la glace, sans aucune femme pour les barber et leur reprocher de n'être que ce qu'ils sont.

Je veux manger du caviar à l'arrière d'une limousine bleue, transpirer dans une chemise Pierre Cardin, je veux boire du coca au bord de ma piscine bleue, je veux mixer comme Bob Sinclair, shooter comme Zidane, faire du skate sur La Cinquième Avenue, je veux porter des manteaux en fourrure l'été, recevoir des msn de Beyoncé, je veux faire mon footing en baskets Jordan.

Le grand Sidi était en sueur lorsque Biram réapparut dans le salon. Il avait retiré sa chemise de pyjama et dégainé son iPhone pour tenter de joindre Il Leone. «Où tu vas? Qu'est-ce que tu fous?» demanda-t-il à son «invité» en le voyant déposer les clefs du château sur la table. Biram lui sourit: il allait se débrouiller pour retrouver Marème.

Giovanni avait précisé « trois kilomètres ». Biram
compta jusqu'à trois, étudia les panneaux et s'arrêta
aux portes d'un village austère accoudé à la mer.
Un trou, songea-t-il après avoir tourné la tête à
gauche (vers l'église vide), à droite (un café vide)
puis vers le passage clouté pratiquement effacé qui
séparait ces deux maisons du peuple. Un village si
petit, si aplati qu'on aurait dit une illustration de
timbre, où il continuait d'avancer avec la tentation
de faire demi-tour et la peur de s'être trompé de
direction. Il s'était attendu à du haut standing : un
assortiment de villas garnies de portails pompeux,
de gardiens, de jardiniers et de chiens professionnels, de courts de tennis, de golfs et de piscines tur-
quoise. Lorsque le mari de Marème avait évoqué
leur maison avec vue sur mer, il s'était représenté

un méli-mélo d'*Autant en emporte le vent* et de *Miami Vice*, où des femmes aux cheveux conditionnés taperaient capricieusement la balle sur la pointe des pieds tandis que des nounous tracteraient leurs héritiers et qu'en terrasse, au bourg, le café vaudrait plus cher qu'un kilo de pilons de poulet. Il avait enfin rêvé de voitures, de cette décapotée où, à droite de son Giovanni, ses talons roses ou rouges aux pieds, Marème jouerait avec ses tresses longues jusqu'aux fesses. L'Italien freinerait et Biram embarquerait. Il s'était projeté dans ce village.

Au lieu de quoi, il était maintenant en train de remonter la fermeture éclair de son blouson et de plisser les yeux non pas pour revoir l'ensemble du paysage (l'église, la rue, le café et le ramas d'habitations agglutinées derrière) mais parce que le temps avait changé. Ça soufflait fort comme sous un ventilateur de plafond réglé au maximum. Comme dans ces infâmes chambres d'hôtel, à Dakar, où il avait été boy à tout faire.

Le deuxième café apparut, Biram y entra et obtint les réponses qu'il souhaitait. Dans ce village, tout le monde se connaissait. Il n'y avait pas deux femmes noires à la ronde. Tous avaient aperçu au moins une fois Marème et auraient été en mesure de la décrire par le menu si un homme de même souche qu'eux le leur en avait prié. Ils ne

345

se gênaient d'ailleurs jamais pour le faire lorsqu'ils
étaient las de parler du ciel. Et alors tout remontait : coutumes, complexes et rage. Tous s'embal-
laient et laissaient éclater leur haine de l'étranger,
de ces étrangers qui n'étant pas du coin persistaient
à s'installer *quand même*, avaient *l'argent pour, mais
quelle bande de rianchots !* Il leur fallait toujours
quelqu'un pour couper leur bois, tailler leur herbe,
réparer leur toit, bricoler leur auto, redonner un
coup de peinture à leurs façades, et parfois même,
un coup tout court à leur femme. Ils étaient riches,
certes. Mais c'est à l'œuvre qu'on connaît l'ouvrier.
Ils furent moins bavards en présence de Biram et
se contentèrent de lui indiquer l'emplacement de
la maison du Romain, la dernière sur la côte en
quittant le bourg.

Biram ignorait comment se comporter lorsque
Marème et son mari lui ouvriraient leur porte.
Il envisageait des gestes simples : saluer, s'asseoir
dans un fauteuil d'appoint, s'attabler parce qu'il
était déjà l'heure de manger, que c'est avec un plat
et pas avec un fusil qu'on accueille le visiteur. Si
Giovanni dormait, et à son âge, on tient à sa sieste,
les retrouvailles seraient facilitées. Marème s'avancerait vers lui sans peur. Il ne pouvait se résoudre
à l'idée qu'elle avait changé. Il pensait que c'était
lui qui la ferait surgir puisqu'il avait été le premier

à en être amoureux, le seul à l'avoir vue dans sa culotte à fleurs bon marché. « On verra bien. » Car c'était cela, après tout, faire l'aventure : perdre son argent et en gagner d'un coup, vouloir La Mecque et délaisser l'Éternel, nettoyer la merde des autres et s'acheter des complets étincelants, respirer l'air des princes et zoner en chien, ne plus jamais revoir sa mère et croiser son premier amour par hasard.

Il resta un temps à contempler la maison de pêcheur. Sonna puis s'engagea dans le jardin, ouvert sur une plage de sable, d'où s'échappaient des éclats de voix. Il aperçut Marème qui rentrait de la plage et devina qu'elle ne s'était pas baignée. Elle portait du long, ses mules compensées étaient sèches, ses tresses attachées en chignon.

– Bonjour, Marème.

Elle leva des yeux résignés vers lui comme si elle s'attendait à le revoir. Elle avait pensé à lui hier nuit. Elle s'était surprise à le désirer lorsque, de retour du restaurant, Giovanni s'était dévêtu et, pour le reste, avait éteint la lumière. Cette envie-là l'avait réveillée. Elle était sortie se promener sur la plage.

Son regard descendit sur les épaules du garçon puis sur ce sac de sport bombé qui lui servait de valise.

– Tu repars à Milan ?

347

– J'ai jamais mis les pieds là-bas. J'ai raconté ça comme ça. Histoire de parler, répondit-il en lui lâchant un clin d'œil. Mais elle continuait à fixer le sac. Je vais partir, ça c'est sûr. Je vais laisser tomber cette Europe de malades mais avant il fallait que je te revoie peut-être parce que t'es la seule Sénégalaise que je connais ici et que c'est pas faux qu'on est un peu de la même famille.

Elle étira ses lèvres roses en une grimace bête.

– Ce n'était pas la peine de lui mentir. Il suffisait juste de dire qu'on se connaissait. Mon mari est un bon mari, il s'occupe bien de moi. Je ne veux pas le décevoir et je ne veux pas non plus attraper de problèmes. J'ai mis du temps…

La honte la fit taire. C'était elle la menteuse, la tricheuse et le perroquet puisqu'à l'instant même où elle parlait, elle répétait ce que sa cousine lui avait appris autrefois : qu'un époux *chic* (bien sapé bien coiffé) ou *choc* (bien monté) ne suffira jamais à satisfaire une femme. Que ce qui compte, c'est de dégoter un mari *chèque*, un homme riche qui n'hésite pas à banquer.

– Qu'est-ce que tu leur trouves à part ça ? répliqua Biram en frottant plusieurs fois son pouce contre son index comme font une minorité d'êtres humains sur terre pour parler de ce après quoi cavale, avant même le bonheur, toute l'humanité. Comme pour humilier la Dakaroise dont l'unique divinité avait été l'argent du Blanc. Tu mérites mieux que ça.

Il se remémorait la tache claire sur sa cuisse et le glissement de ses claquettes de fille sur la plage. Ce n'étaient peut-être que des souvenirs, aussi fragiles et branlants que les objets souvenirs qu'il avait passé une partie de son existence, sa jeunesse d'homme, à brocanter, ou bien la preuve que tout n'était pas *mort*, que l'honneur de Marème pouvait lui être restitué. «C'est pile ou face, mais je me battrai jusqu'au bout», se promit-il, sans bien savoir de quelle nature serait ce *bout*. Avec la loyauté d'un enfant déguisé en soldat.

— Toi, Biram Diop, tu es un bébé, tu es un ignorant. Tu crois que Blanc ça veut juste dire machine à sous, déclara-t-elle avec une sorte d'indulgence lasse et plus de familiarité qu'elle ne l'aurait souhaitée. Elle avait l'impression gênante de connaître le cœur du jeune homme qui se tenait devant elle, d'être en mesure d'affirmer, comme sur un marché : «Ce cœur-là pèse tant et vaut tant.» Elle l'entendait cogner, ce gros cœur, mais luttait pour ne s'en tenir qu'à ce qui sautait aux yeux : des cheveux en désordre, un sac de sport et une paire d'épaules vives.

— Laisse-moi te dire, fit Biram en basculant son corps légèrement vers l'avant. Je n'ai rien contre eux. J'ai même été avec l'une de leurs femmes. Elle n'était pas méchante, ni hypocrite, ce serait mentir que prétendre ça. Elle aussi savait bien s'occuper de moi. Elle m'a aidé à passer en Espagne et m'a même emmené en France et en Italie avec elle. Et puis elle a commencé à me commander. Elle voulait qu'on fasse comme elle pensait qu'il fallait faire. Elle avait son négro dans sa tête et elle voulait que ce négro et moi, on agisse tout pareil. Elle pensait que son argent m'encouragerait, mais moi, personne ne m'achète. Je suis un homme libre. Leur argent, votre argent, c'est pas mon cœur qu'il va faire tourner en tout cas. Il n'est pas encore né l'imam qui refusera d'unir un homme et une femme parce qu'ils ne roulent pas en Mercedes.

Maintenant qu'il était lancé, c'était un vrai moulin à paroles. Il donnait des adresses et citait des noms de copains. Il ressassait surtout son amourette avec *la Blanche*. Un jour qu'ils s'étaient disputés, il l'avait laissée *sécher* nue sur un balcon pendant quatre heures. Il avait perdu la tête. Elle l'avait rendu *complètement doff*. Puis de ressortir ses théories sur l'argent, le mariage et l'homme libre. Des mots.

– Quand tu es pauvre, marmonna Marème machinalement, et sans le regarder non plus, l'amour, il rapetisse vite. Il devient un bouton, il sèche et il tombe.

– Tu parles comme une vieille.

– Je n'ai plus quinze ans, Biram et, ce que je sais aujourd'hui, c'est que si l'Europe ne me fait plus du tout rêver, elle m'a fait grandir. Au moins ça, c'est clair.

Elle se retourna pour marcher d'un pas servile vers la clôture et il la vit agiter le bras en direction d'un minuscule corps sur la plage. C'était la silhouette de Giovanni qui revenait à petites foulées vers la maison qu'il atteignit à la seconde même où, dans une synchronie grotesque, son épouse déplia un drap de bain qu'elle lui tendit. L'homme s'essuya. Son dos et ses épaules étaient couverts de poils. Son sexe paraissait un bouchon en liège dans son maillot Tanga.

– Nous avons de la visite, lui annonça Marème en désignant du menton Biram.

L'Italien leva la tête et son sourire retomba :

– Tiens donc.

Il enroula la serviette autour de ses reins et se reprit :

– Soyez le bienvenu. Comment vous avez fait pour trouver la maison ? Vous venez d'arriver ? Doriane vous a servi à boire ?

Il s'était assis sur le transat pour retirer les grains de sable logés entre ses doigts de pied. Pris de profil, son visage n'affichait rien d'hostile mais on remarquait dans ses gestes quelque chose d'impatient et d'indécis.

— Tu devrais aller te doucher, lui suggéra l'Africaine en extrayant une brindille d'herbe de ses cheveux teints coupés à la brosse.

Il ouvrit la bouche pour produire un son complexe, la combinaison d'un *si* et d'un soupir d'irritation, puis il se leva pour aller chercher de l'eau pétillante et des glaçons.

Ils finissaient de déjeuner. Giovanni examinait Biram avec cette avidité désespérée des vieux devant la beauté et la jeunesse, avec une nostalgie qui le pétrifiait. Enchaîné à son propre corps en papier mâché, il craignait d'avoir *perdu la main*. Il se sentait brusquement désarmé face à la vie et à ce dont il n'avait jamais manqué, ni douté : l'amour d'une femme. Songeant à sa mère qui l'avait adoré, il se morfondit de plus belle. Elle avait été d'une robustesse et d'un dévouement extraordinaires, forte pour deux, œuvrant pour son bien-être et machinant pour ses succès. Il lui devait tout. Elle lui avait bâti sa vie, choisi sa première cravate et sa première compagne. Un fils protégé.

Ce n'est que des années après son décès qu'il s'était autorisé à aimer une femme, et alors, tout était allé très vite. Il avait installé Doriane dans son cent et quelques mètres carrés et l'avait épousée. C'était la féconder qui l'obsédait désormais lorsqu'il lui faisait l'amour. Il la voulait mère, c'était devenu son projet. Peut-être avait-il manqué de discernement en s'éprenant d'une femme de trente ans plus jeune que lui, en se figurant qu'il suffisait de se teindre les cheveux, d'une heure de natation par jour, de slips sexy et d'une voiture puissante pour tromper la nature et s'épargner du ridicule qui, à son âge, à cet âge, tue. Tout était tellement plus simple à Rome, pensa-t-il en redressant son dos et en se composant un visage à peu près présentable. Là-bas, dans le milieu qu'il fréquentait, c'était la règle, pour un sexagénaire, de ne s'entourer que de nymphes, des filles de moins de vingt-huit, puisque, au-delà, la poitrine flanchait, la peau ridulait, l'haleine infectait, le tout faisait vieux, était vieux. *Addio* la libido !

La voix sifflante de Doriane, dans la pièce attenante, l'arracha à sa torpeur. La jeune femme était en ligne avec sa mère.

— Quand ces deux-là se téléphonent, ça peut durer des heures. Ma belle-mère est une grande bavarde.

Il se racla la gorge d'embarras. Il n'avait jamais rencontré Oumou et n'en était guère curieux. Par facilité, il la supposait pauvre et malade. Aussi préparait-il toujours une enveloppe à son attention lorsque Doriane partait la visiter à Dakar, l'enveloppe d'Oumou, qui, dans son esprit, selon ses petits calculs, servirait à payer les sacs de riz, le fauteuil roulant, une infirmière à domicile.

Il tourna la tête vers Biram, et les regards des hommes se croisèrent comme des feux de véhicules dans une nuit de campagne, avec une solitude et une concentration égales.

— Tu peux passer la nuit chez nous, si tu veux. Il est déjà tard et puis la chambre du haut est très agréable.

Biram haussa les épaules.

— Du moment que j'ai mes jambes avec moi.

L'ignorance de l'Italien l'amusait, son incapacité à ne pas voir plus loin que le bout de son nez et au-delà de son milieu. Dans le monde du vieux chéri, il fallait des millions et des voitures particulières pour se déplacer, une maison à petites foulées d'une plage pour prendre un bain de mer, un peignoir pour se sécher, un lit plus une parure de draps pour s'endormir. Dans la vie du vieux chéri, il n'y avait ni aventure, ni erreur, ni hasard.

Il était étendu sur le dos et promenait un regard agacé sur le plafond boisé et les meubles sans excès de luxe de la chambre d'amis. Il aurait dû songer à fermer les volets pour trouver le sommeil. «Quelle soirée!» Il reboutonna son jean et s'approcha de la mansarde. On y voyait dehors presque comme en plein jour, la lune était parfaitement ronde, la mer toute pailletée. Il tira la poignée de la fenêtre et, dans un réflexe de gosse, ouvrit la bouche et bascula la tête vers l'arrière. Il sentait derrière lui le poids de ses cheveux. Il ferma les yeux, le vent avait un goût de gros sel. Il revint s'asseoir sur le lit et laissa choir ses mains sur ses cuisses. «Tu parles d'une soirée!» Marème s'était retranchée dans la chambre conjugale dès la fin du dîner et lui s'était farci le vieux, sa parlote et sa charité. Biram se

redressa. Sans doute valait-il mieux partir avant
que le jour ne se décidât et que l'idée absurde de
sauver Marème ne le reprît. La Sénégalaise n'avait
pas besoin d'amour, à peine d'un homme.

Il cessa de s'agiter en entendant craquer le parquet de la pièce du dessous. En bas, quelqu'un
traversait le salon, passait les baies coulissantes et
s'enfonçait dans le jardin. Par la fenêtre, il eut le
temps de reconnaître Marème : son amas de tresses
et ses deux bâtons sombres qui progressaient sur
le sable. Elle poussa la barrière qui donnait sur la
plage et disparut.

Plus tard, à une bonne trotte de la maison de
pêcheur, il la retrouva adossée contre un rocher, les
jambes contre la poitrine, le souffle scié, comme
après un cent mètres ou avant de pleurer. Elle ne
se calma que lorsqu'il fut assis et, d'une voix que
le manque de sommeil, la peur, ou l'orgueil, ren-
daient aiguë, elle lui demanda ce qu'il attendait
d'elle. Elle s'exprimait moitié en italien, moitié en
wolof en tirant nerveusement sur l'encolure en V
de sa chemise de nuit. Biram se leva :

— Kay. Viens là.

Il désirait forcer cette Méditerranée plissée
comme une robe de bourgeoise, pénétrer avec
Marème Doriane Fall dans cette mer en strass
dont les jeunes de là-bas persistaient à rêver. À vos
marques, prêt, partez ! C'est ce qu'il voulait lui

crier. Qu'elle se dévêtît sur-le-champ et le suivît sans discuter. À deux, ils n'en feraient qu'une bouchée de cette flotte qui perdait les hommes.

– C'est ridicule. Je n'y arriverai pas, fit Marème lorsque le garçon se fut délesté de son jean et lui eut retiré de force sa chemise.

Elle ne protesta plus. Biram l'avait hissée sur son dos et avançait.

Ils nagèrent sans se lâcher la main, sans se soucier de ce début de pluie qui fouettait leur visage. Ils nageaient côte à côte mais se trouvaient dans des dispositions différentes. Il se réjouissait : « Ça commence », quand, convaincue qu'il repartirait faire l'aventure, elle comptait les minutes de grâce qui leur restaient, ruminait « on les connaît les hommes, on les connaît » de crainte d'avoir à réclamer quoi que ce soit au Tout-Puissant et d'affronter Sa cruauté. Car que lui avait-Il donné au bout du compte ? Pas même un enfant, le minimum qu'une femme pût espérer. Le vent flûta de plus belle et les bras de Biram se refermèrent sur elle. Maintenant, elle sentait battre son bon cœur et son sexe d'homme qui durcissait. Ils en rirent puis demeurèrent allongés sur la plage jusqu'au petit matin.

Giovanni était déjà au bourg lorsqu'ils revinrent dans la maison de pêcheur. « Il boit son café », songea mollement Marème tandis que Biram se hâtait de se doucher. S'appuyant sur une paillasse, elle se massa le ventre puis se servit un bol de lait qu'elle but à grands traits. Elle n'était assaillie d'aucun remords. Elle n'éprouvait guère non plus cette ivresse inquiète qui est le privilège des épouses qui trompent pour la première fois. Elle n'avait pas peur car elle avait l'intuition qu'aucun drame n'éclaterait. Elle ne serait jamais une aventurière, et Giovanni n'était pas un héros.

L'eau cessa de couler et Biram réapparut dans la cuisine. Il portait un tricot de peau sous un gilet d'homme sans manches si bien qu'on voyait le haut de son torse imberbe et ses épaules brillantes. Elle remarqua aussi la paire de bracelets multicolores entourant son poignet. Elle avait possédé les mêmes anneaux autrefois, jusqu'à ce qu'elle les égare ou s'en débarrasse. C'étaient les bijoux les plus rustiques du monde, pas de fermoir, pas d'ornementation, juste du plastique que les villageoises faisaient ramollir au-dessus d'un brasier et vendaient pour des clopinettes au marché. Des bracelets si faciles à transporter qu'on les retrouvait, des années après leur confection, dans le ballot des modou-modou. Des bracelets de misère qui finissaient dans la poussière d'Europe, gondolés et délavés.

— Tu dois avoir faim, dit-elle en enfilant ses mules d'intérieur et en amorçant un mouvement vers la gazinière, mais il lui retint le bras et la ramena vers lui :

— Faut qu'on parle.

À présent qu'il avait une femme, il s'en croyait responsable. Il lui devait sécurité et protection. Alors il lui raconta la vie qu'ils mèneraient dès qu'ils auraient mis les bouts et seraient de retour au Sénégal, la robe de mariée et le château qu'il lui offrirait, le poste de dégé qu'il décrocherait en un clin d'œil vu la somme des métiers qu'il avait dans la main. Il lui parlait de là-bas, mais c'était un autre pays qu'il évoquait, un Sénégal remis à neuf, sans son vieux Ndioumbor le lièvre, ses misères automatiques et sa jeunesse qui mourrait jeune. L'épouse de Giovanni baissa la tête.

— C'est ici que j'ai fait ma vie.

Il longeait le goudron qui le ramenait à Palerme. Il marchait vite, son sac sur le dos et, derrière lui, le crépitement des talons et des mots de Marème. Elle le suppliait de rester et le submergeait de promesses. Son Blanc serait compréhensif et lui procurerait un job d'*assistant chose* à Rome. Le regard de Biram se voila. Même grandes, même avisées, les femmes restaient des petites filles bonnes à laver la vaisselle sans gaspiller l'eau et à se remettre une couche de vernis rose aussitôt après. Des trésorières qui n'avaient pas le courage et la fougue des hommes. Il n'entendit plus Marème. Elle avait dû se fouler la cheville ou se camper au bord de la route pour le regarder s'éloigner. Il s'essuya les yeux et leva le pouce pour faire du stop.

Dans la préfecture de police en travaux, Biram s'aventura dans une dizaine de couloirs sans issue avant de regagner le hall d'informations et de demander son chemin. Le bureau des immigrés se situait au dernier étage, une quarantaine d'individus y patientaient, dix personnes × quatre rangées de chaises accrochables et fixées au sol. «Vous êtes juste après moi», lui souffla un Maghrébin tandis que le Sénégalais s'installait à sa gauche et déroulait progressivement ses longues jambes. Puis le type se pencha pour lui raconter l'histoire sans rebondissements du distributeur de tickets de la salle. L'engin était systématiquement en panne. *Pas pratique. On vous chourrait forcément votre place. Fallait faire gaffe.* Biram tordit la bouche pour exprimer son soutien et jeta un coup d'œil discret à ses voisins. Il y avait là des hommes de toutes sortes, avec la même tonne de paperasse entre les mains : cartes d'identité, extraits de naissance, carnets de famille, factures, contrats, fiches de paie, photos, courrier, enveloppes. Des Noirs et des Blancs dont le corps assis tressaillait au moindre événement : une porte qui s'ouvre, un employé qui passe, une mouche qui papillonne, un bruit de clefs ou de chasse d'eau.

Sa bouche remua de nouveau pour s'ouvrir et bâiller. Il était las, physiquement et moralement, les deux, comme si ses forces l'avaient brusquement abandonné et qu'il ne lui restait plus qu'un

fond de bidon. «C'est quoi, déjà, cette histoire?»
se demanda-t-il en tentant de se remémorer les
grands principes de la théorie de Diabang. Il réfléchit et se souvint. D'après la théorie du professeur
à vie de Littératures Comparées et Francophones,
chaque être humain naissait avec un nombre x
de bidons, qu'il vidait graduellement, selon ses
besoins, sans pouvoir s'aviser du volume global
exact de l'énergie vitale dont il disposait. Si bien
que, quand les bidons étaient vides, la vie s'arrêtait. Biram haussa les épaules. Il n'y avait pas d'âge
pour claquer du moment qu'on avait l'impression d'avoir vécu assez et accompli ce qu'on n'ose
même pas imaginer lorsqu'on est un enfant, parce
qu'alors tout semble immense, magique et incertain. Or lui avait marché le monde, dormi avec des
filles et coudoyé l'humanité. Il avait fait l'aventure,
parbleu. Il n'avait pas eu les pouces à la ceinture.
Et maintenant? Maintenant, il s'accordait le droit
de souffler. Il attendait son tour, cool, les jambes
dépliées, parmi ces hommes tourmentés et sérieux.
Il connaissait grosso modo la procédure et devinait
ce qui lui arriverait. On le recevrait dans un bureau
où on lui poserait des questions simples avant de
le renvoyer dans son pays. Personne ne s'en afflige-
rait, personne ne s'en indignerait, pas même lui qui
avait décidé de rentrer *de toutes les façons*, malgré
le mépris et les cancans du quartier. Car ceux de

Mbour ne manqueraient pas de dégoiser en apprenant la nouvelle. Le neveu de Moktar s'était fait rapatrier. *Waay!* On l'avait vu débarquer à l'aéroport de Dakar menottes aux poignets et le creux des poches vide. *Wallaay.* La honte.

« *Yow, domu xaram nga!* Espèce d'imbécile ! Je t'emmerde ! » lâcha-t-il, comme si l'opinion publique se tenait debout devant lui et avait un visage. Et dans cette salle de préfecture de Palerme où il valait à peine un numéro (n° 38, si la machine à délivrer les tickets avait pu fonctionner normalement), il lui cria à l'opinion publique qui il était. « Je m'appelle Biram Seye Diop », scanda-t-il en décollant ses fesses de sa chaise en PVC. Des hommes hochèrent la tête, d'autres se contentèrent de l'observer puis il se rassit et sentit son cœur battre sous son maillot qui exhalait encore le parfum de cocotte de Marème. « Biram Seye Diop », mâchonna-t-il en lui-même, ou plutôt contre lui-même, dans la mesure où ce nom lui venait de son père, l'homme qu'il avait maudit.

Une porte s'entrouvrit, deux ou trois immigrés se levèrent, mais Biram qui s'était assoupi ne les entendit pas se précipiter vers le bureau. Il rêvait qu'il grimpait l'escalier tordu de La Signare. L'esclaverie était déserte : aucun vacarme, plus un seul fantôme. Il s'accoudait au balcon, une paire de jumelles neuves devant les yeux. Sous le soleil sec de

Mbour, l'océan s'étalait comme une nappe sale mal repassée. Un ciel était posé dessus et une fanfare de mouettes zigzaguait dans l'air avant de piquer. Là aussi, le garçon connaissait la suite de l'histoire. Des chiens sauvages aboieraient après des pochons plastiques, midi l'aveuglerait et il plisserait les yeux pour viser la frontière. Bah, pas longtemps, il ne se casserait plus la tête à la chercher. La foi l'avait plaqué, la mer l'avait battu, mais *ça va*, ce n'était pas la fin du monde.

CET OUVRAGE A ÉTÉ COMPOSÉ
PAR DOMINIQUE GUILLAUMIN (PARIS)
ET ACHEVÉ D'IMPRIMER SUR ROTO-PAGE
PAR L'IMPRIMERIE FLOCH À MAYENNE
POUR LE COMPTE DES ÉDITIONS J.-C. LATTÈS
17 RUE JACOB – 75006 PARIS
EN DÉCEMBRE 2013

PAPIER À BASE DE
FIBRES CERTIFIÉES

JC Lattès s'engage pour
l'environnement en réduisant
l'empreinte carbone de ses livres.
Celle de cet exemplaire est de :
1,100 kg éq. CO_2
Rendez-vous sur
www.jclattes-durable.fr

N° d'édition : 01 – N° d'impression : 85813
Dépôt légal : janvier 2014
Imprimé en France